The Usborne
Picture Dictionary
in Spanish

Felicity Brooks and Mairi Mackinnon
Designed by Stephanie Jones
Models by Jo Litchfield

Contents

How to say the words

You can hear all the Spanish words in this book, read by a Spanish person, on the Usborne Quicklinks Website at **www.usborne-quicklinks.com**. Find out more on page 112.

Using your dictionary

You can use this dictionary to find out how to say things in Spanish. Every page has 12 main words in English, with the same words in Spanish (the translations).

The English words are in the order of the alphabet: words beginning with A are first in the book. There are also pictures to show what words mean.

This word shows the first English word on the page.

This word shows the last English word on the page.

The English words are shown at the top left of the box.

If you forget the order of the letters in the alphabet, look at the side of any page.

The Spanish translations are shown at the top right of the box.

Sometimes the same English word appears twice with little numbers next to it. This shows that the same word can be used in two different ways. The Spanish translations may look very different.

Short sentences or phrases, in English and in Spanish, show you how the word can be used.

This letter shows the first letter of the English words on that page.

Don't forget that in a dictionary you read down the page in columns. In most other books you read across.

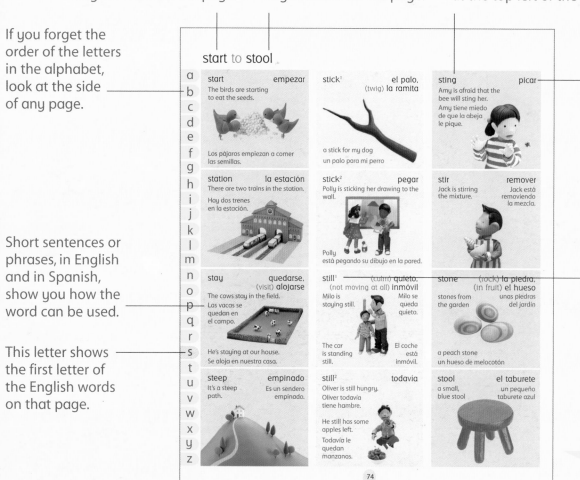

start to stool

start   **empezar**
The birds are starting to eat the seeds.
Los pájaros empiezan a comer las semillas.

station   **la estación**
There are two trains in the station.
Hay dos trenes en la estación.

stay   **quedarse,** (visit) **alojarse**
The cows stay in the field.
Las vacas se quedan en el campo.
He's staying at our house.
Se aloja en nuestra casa.

steep   **empinado**
It's a steep path.
Es un sendero empinado.

stick¹   el palo, (twig) **la ramita**
a stick for my dog
un palo para mi perro

stick²   **pegar**
Polly is sticking her drawing to the wall.
Polly está pegando su dibujo en la pared.

still¹   (calm) **quieto,** (not moving at all) **inmóvil**
Milo is staying still.
Milo se queda quieto.
The car is standing still.
El coche está inmóvil.

still²   **todavía**
Oliver is still hungry.
Oliver todavía tiene hambre.
He still has some apples left.
Todavía le quedan manzanas.

sting   **picar**
Amy is afraid that the bee will sting her.
Amy tiene miedo de que la abeja le pique.

stir   **remover**
Jack is stirring the mixture.
Jack está removiendo la mezcla.

stone   (rock) **la piedra,** (in fruit) **el hueso**
stones from the garden
unas piedras del jardín
a peach stone
un hueso de melocotón

stool   **el taburete**
a small, blue stool
un pequeño taburete azul

74

How to find a word

1 Think of the letter the word starts with. "Stone" starts with an "s", for example.

2 Look through the dictionary until you have found the "s" pages.

3 Think of the next letter of the word. Look for words that begin with "st".

4 Now look down the "st" words until you find the word you are looking for.

Aa   actor to ambulance

actor
el actor
la actriz

These actors are waving.

Los actores saludan.

(to be) afraid   tener miedo

Maddy is afraid of spiders.

Maddy tiene miedo a las arañas.

air
el aire

The red balloon is floating in the air.

El globo rojo flota en el aire.

add
añadir

Billy's adding some blocks to his tower.

Billy añade unos cubos a su torre.

after
después

Sacha goes after Suki.

Sacha baja después de Suki.

Sacha

Suki

alone
solo

Katie sings when she's alone.

Katie canta cuando está sola.

address
la dirección

This is Oliver's address.

Ésta es la dirección de Oliver.

Oliver Comelotodo
C/ Desayuno 4, 3°
51000 Merienda

afternoon
la tarde

three o'clock in the afternoon

las tres de la tarde

alphabet
el alfabeto

the letters of the alphabet

las letras del alfabeto

abcdefghijklm
nopqrstuvwxyz

adult
el adulto
la adulta

Minnie is a child. Her dad is an adult.

Minnie es una niña. Su papá es un adulto.

age
la edad

What is Olivia's age?

Joshua

Olivia

Ben

¿Cuál es la edad de Olivia?

ambulance
la ambulancia

There is nobody in the ambulance.

No hay nadie en la ambulancia.

a b c d e f g h i j k l m n o p q r s t u v w x y z

a b c d e f g h i j k l m n o p q r s t u v w x y z

amount — la cantidad

a large amount of pasta

una gran cantidad de pasta

ankle — el tobillo

Ankles join legs to feet.

Los tobillos unen las piernas con los pies.

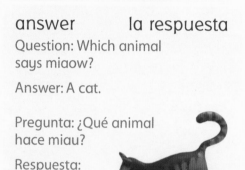

apple — la manzana

Apples are very healthy fruit.

Las manzanas son una fruta muy sana.

angel — el ángel

a Christmas angel

un ángel de Navidad

answer — la respuesta

Question: Which animal says miaow?

Answer: A cat.

Pregunta: ¿Qué animal hace miau?

Respuesta: El gato.

arm — el brazo

This is Jack's left arm.

Éste es el brazo izquierdo de Jack.

angry — enfadado

Jack is angry with Pip.

Jack está enfadado con Pip.

ant — la hormiga

These ants are looking for something to eat.

Las hormigas están buscando algo que comer.

arrive — llegar

The bus arrives at one o'clock.

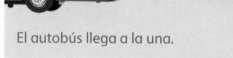

El autobús llega a la una.

animal — el animal

A lion is an animal.

El león es un animal.

ape — el mono

An orang-utan is a kind of ape.

El orangután es un tipo de mono.

art — el arte

It's a work of art.

Es una obra de arte.

artist — el artista, la artista

The artist is painting some flowers.

La artista está pintando unas flores.

baby — el bebé

The baby is smiling.

El bebé sonríe.

bag (handbag) — el bolso, la bolsa

all kinds of bags

varios tipos de bolsos

ask (question) preguntar, (for something) pedir

He is asking what's happening.

Pregunta qué pasa.

Becky is asking for strawberries.

Becky está pidiendo fresas.

back¹ — la espalda

Polly is pointing to Jack's back.

Polly está señalando la espalda de Jack.

bake — hornear, cocer al horno

Oliver is going to bake some cakes.

Oliver va a hornear unos pasteles.

asleep — dormido

Is Nicholas asleep?

¿Está dormido Nicholas?

back² (inside) el fondo*, (from outside) la parte de atrás

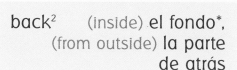

He's at the back of the bus.

Está en el fondo del autobús.

baker — el panadero, la panadera

The baker sells very good bread.

El panadero vende pan muy bueno.

astronaut — el astronauta, la astronauta

Oliver is dressed up as an astronaut.

Oliver está disfrazado de astronauta.

bad — malo, (food) podrido

a bad apple

una manzana podrida

a bad dog

un perro malo

balance — mantenerse en equilibrio

This clown is balancing.

El payaso se mantiene en equilibrio.

* Spanish uses the same word, el fondo, for the back or bottom of: a room, a bus, a cup or glass, a lake, the sea.

*The outside is different: The bus has a poster on the back. El autobús lleva un anuncio en la parte de atrás.

a b c d e f g h i j k l m n o p q r s t u v w x y z

bald to bark

bald — calvo

Mr. Rogers is bald.

El señor Rogers es calvo.

ball — el balón, (small) la pelota

a brightly coloured ball

un balón de colores fuertes

ballerina — la bailarina

Lucy is a ballerina.

Lucy es bailarina.

balloon — el globo

a pink balloon

un globo rosa

a balloon trip

un viaje en globo

banana — el plátano

A banana is a yellow fruit.

El plátano es una fruta amarilla.

band — la orquesta

Polly and Marco play in a band.

Polly y Marco tocan en una orquesta.

bang — pum

Bang! The balloon bursts.

¡Pum! El globo explota.

¡¡pum!!

bank — el banco

Mr. Brand is getting money from the bank.

El señor Brand saca dinero del banco.

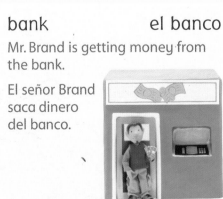

bar — la barra

a steel bar

una barra de acero

Hold on to the bar!

¡Agárrate a la barra!

bare — desnudo

Marcus is all bare for his bath.

Marcus está desnudo porque se va a bañar.

bark[1] — la corteza

the bark of a tree

la corteza de un árbol

bark[2] — ladrar

Pip is barking.

Pip está ladrando.

Woof woof!

¡Guau guau!

barn to bed

barn   el granero

The barn is full of hay.

El granero está lleno de heno.

bath   la bañera

The bath is empty.

La bañera está vacía.

bear   el oso

A bear is a wild animal.

El oso es
un animal
salvaje.

base   la base

The lamp has a yellow base.

La lámpara
tiene una base amarilla.

beach   la playa

They are playing on the beach.

Están jugando en la playa.

beard   la barba

Mr. Brown has a beard.

El señor Brown
lleva barba.

basket   el cesto

a big, round basket

un gran
cesto
redondo

beak   el pico

A toucan has a big beak.

El tucán
tiene un
pico grande.

beautiful   hermoso

a beautiful
pink cake

un hermoso
pastel rosa

bat (animal) el murciélago,
(for sports) el bate, la paleta

A bat isn't a bird.   a baseball bat

El murciélago   un bate de
no es un pájaro.   béisbol

bean   la judía,
el haba (f)

green beans

las judías verdes

bed   la cama

a child's bed

una cama
de niño

a b c d e f g h i j k l m n o p q r s t u v w x y z

bedroom — el dormitorio

Ben's bedroom — el dormitorio de Ben

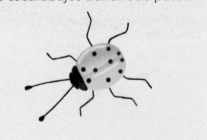

before — antes

Suki goes before Sacha.

Suki baja antes que Sacha.

Sacha

Suki

below — debajo

The kitten is below the planks.

El gatito está debajo de las tablas.

bee — la abeja

Bees make honey.

Las abejas hacen la miel.

begin — empezar

Sam's beginning to fall asleep.

Sam empieza a dormirse.

belt — el cinturón

a brown leather belt

un cinturón marrón de cuero

beetle — el escarabajo

Beetles have six legs.

Los escarabajos tienen seis patas.

behind — detrás

The kitten is behind the flowerpot.

El gatito está detrás de la maceta.

beside — al lado

The kitten is beside the flowerpot.

El gatito está al lado de la maceta.

beetroot — la remolacha

Beetroot grows underground.

La remolacha crece bajo tierra.

belong — pertenecer

The book belongs to Suzie.

El libro pertenece a Suzie.

between — entre

The kitten is between the two flowerpots.

El gatito está entre las dos macetas.

bib to book

bib — el babero
a baby's bib

un babero
de bebé

birthday — el cumpleaños
a birthday party

una fiesta de cumpleaños

boat — la barca
a rowing boat

una barca
de remos

bicycle — la bicicleta
Sara's blue bicycle

la bicicleta azul
de Sara

bite — morder
Jon is biting
an apple.

Jon está
mordiendo una
manzana.

body — el cuerpo
some parts of the body

unas partes
del cuerpo

tummy
la barriga

foot
el pie

arm
el brazo

leg
la pierna

big — gran, grande
a very big animal

un animal muy grande

blanket — la manta
a wool blanket

una manta de lana

bone — el hueso
Patch has found some bones.

Patch ha encontrado
unos huesos.

bird — el pájaro
Not all birds can fly.

No todos los pájaros vuelan.

blow — soplar,
(blow out) apagar
Polly is blowing out
the candles.

Polly apaga
las velas.

book — el libro
Tina is reading a book.

Tina está leyendo un libro.

a
b
c
d
e
f
g
h
i
j
k
l
m
n
o
p
q
r
s
t
u
v
w
x
y
z

boot to breakfast

a b c d e f g h i j k l m n o p q r s t u v w x y z

boot　　　la bota

Alex wears boots when it's raining.

Alex lleva botas cuando llueve.

bowl　　　el cuenco

a plastic bowl

un cuenco de plástico

brave　　　valiente

Mr. Sparks is very brave.

El señor Sparks es muy valiente.

bottle　　　la botella

glass and plastic bottles

unas botellas de vidrio y de plástico

box　　　la caja

a cardboard box

una caja de cartón

bread　　　el pan

a loaf of bread

un pan

bottom¹　　　el trasero

Jack's bottom is in the circle.

El trasero de Jack está en el círculo.

boy　　　el chico

Oliver and Robert are boys.

Oliver y Robert son chicos.

break　　　romper

Asha has broken the vase.

Asha ha roto el florero.

bottom² (hill, stairs) el pie, (cup, sea) el fondo

The kitten is at the bottom of the stairs.

El gatito está al pie de la escalera.

branch　　　la rama

two birds on a branch

dos pájaros en una rama

breakfast　　　el desayuno

a healthy breakfast

un desayuno sano

breathe   respirar

Divers breathe air from tanks.

Los submarinistas respiran el aire de botellas.

brush   el cepillo

a hairbrush and a toothbrush

un cepillo para el pelo y un cepillo de dientes

building   el edificio

This building has ten floors.

Este edificio tiene diez plantas.

bridge   el puente

The bus is on the bridge.

El autobús está en el puente.

bucket   el cubo

buckets and spades

unos cubos y palas

bump   tropezar

Mr. Bun is bumping into the dog.

El señor Bun tropieza con el perro.

bright   brillante, fuerte

a bright yellow car

un coche amarillo brillante

bug   el bicho

different coloured bugs

unos bichos de varios colores

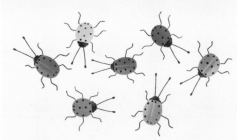

burger   la hamburguesa

a burger with cheese

una hamburguesa con queso

bring   traer

Jack is bringing his letter to the postbox.

Jack trae su carta al buzón.

build   construir

Billy is building a tower.

Billy está construyendo una torre.

burn   quemar

Dad has burnt the burgers.

Papá ha quemado las hamburguesas.

a b c d e f g h i j k l m n o p q r s t u v w x y z

bus — el autobús

The bus is going into town.

El autobús va a la ciudad.

butter — la mantequilla

some butter for my sandwiches

mantequilla para mis bocadillos

café — el café

Suzie and her dad are having breakfast at the café.

Suzie y su papá desayunan en el café.

Café Delargo

bush — el arbusto

Bushes are smaller than trees.

Los arbustos son más pequeños que los árboles.

a bush
un arbusto

a tree
un árbol

butterfly — la mariposa

Butterflies are insects.

Las mariposas son insectos.

cage — la jaula

a small cage   una jaula pequeña

busy — ocupado

Mr. Bun is busy in the kitchen.

El señor Bun está ocupado en la cocina.

button — el botón

four brightly coloured buttons

cuatro botones de colores brillantes

cake — el pastel

a delicious cake   un pastel riquísimo

butcher — el carnicero / la carnicera

Mrs. Beef is a butcher.

La señora Beef es carnicera.

buy — comprar

Suzie is buying an apple.

Suzie compra una manzana.

calf — el ternero

a cow and her calf

una vaca y su ternero

call — llamar

Alex is calling Pip.

Alex llama a Pip.

¡Ven, Pip!

Polly calls her doll "Celestine".

Polly llama "Celestine" a su muñeca.

camel — el camello

A camel can have one or two humps.

Un camello puede tener una o dos gibas.

camera — la cámara

This camera is easy to use.

Esta cámara es fácil de utilizar.

camp — acampar, ir de camping

go camping

van de camping

candle — la vela

a cake with eight candles

un pastel con ocho velas

cap — la gorra

a baseball cap

una gorra de béisbol

car — el coche

a sports car

un coche deportivo

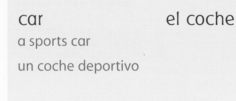

card — la tarjeta

I have three birthday cards.

Tengo tres tarjetas de cumpleaños.

carpet — la moqueta, (rug) la alfombra

a room with a blue carpet

una habitación con moqueta azul

carrot — la zanahoria

Carrots are vegetables.

Łas zanahorias son verduras.

carry — llevar

Aggie is carrying some flowers.

Aggie lleva unas flores.

castle — el castillo

an old castle

un castillo antiguo

a b c d e f g h i j k l m n o p q r s t u v w x y z

abcdefghijklmnopqrstuvwxyz

cat — el gato
The cat is licking its paw.

El gato se lame la pata.

cave — la cueva
There's a bear in the cave.

Hay un oso en la cueva.

chair — la silla
a small, blue chair

una pequeña silla azul

catch — atrapar
Jack is catching the ball.

Jack atrapa el balón.

CD — el CD
my favourite CD

mi CD preferido

chalk — la tiza
a chalk drawing

un dibujo hecho con tiza

caterpillar — la oruga
two caterpillars dancing

dos orugas que bailan

centre — el centro
The fruit is in the centre of the table.

La fruta está en el centro de la mesa.

chase — perseguir
Polly and Jack are chasing the dogs.

Polly y Jack persiguen a los perros.

cauliflower — la coliflor
A cauliflower is a vegetable.

La coliflor es una verdura.

cereal — los cereales
I eat cereal for my breakfast.

Como cereales para desayunar.

cheap — barato
Everything is cheap in this shop.

Todo es barato en esta tienda.

cheese to classroom

cheese — el queso
Swiss cheese

queso suizo

chicken — el pollo
I like roast chicken.

Me gusta el pollo asado.

choose — elegir
Billy is choosing between the apple and the cake.

Billy elige entre la manzana y el pastel.

chef — el cocinero / la cocinera
Mr. Cook is a chef.

El señor Cook es cocinero.

child — el niño / la niña
three children

tres niños

city — la ciudad
There are a lot of buildings in a city.

Hay muchos edificios en una ciudad.

cherry — la cereza
Cherries are red fruit.

Las cerezas son unas frutas rojas.

chin — la barbilla
Jack's chin — la barbilla de Jack

class — la clase
Mr. Levy's class

la clase del señor Levy

chick — el pollito
This hen has five chicks.

Esta gallina tiene cinco pollitos.

chocolate — el chocolate
a bar of chocolate

una tableta de chocolate

classroom — el aula (f)
our classroom

nuestra aula

a b c d e f g h i j k l m n o p q r s t u v w x y z

clean to coin

clean¹   limpiar
Please clean the glass!

¡Limpia la ventana por favor!

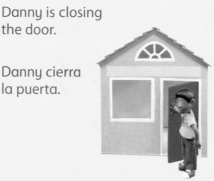

close¹   cerrar
Danny is closing the door.

Danny cierra la puerta.

clown   el payaso
Look, the clown is juggling.

Mira, el payaso hace juegos malabares.

clean²   limpio
Only Neil has clean clothes.

Ben   Neil   Sally

Sólo Neil tiene la ropa limpia.

close²   cerca
Bill is close to Ben.

Bill está cerca de Ben.

coat   el abrigo
Renata is wearing a red coat.

Renata lleva un abrigo rojo.

climb   subir
Mr. Sparks is climbing the ladder to rescue the cat.

El señor Sparks sube la escalera para rescatar al gato.

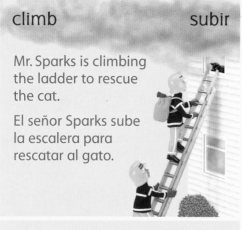

clothes   la ropa
clean clothes   ropa limpia

coffee   el café
Coffee has a strong taste.

El café tiene un gusto fuerte.

clock   el reloj
That clock is very noisy.

Ese reloj hace mucho ruido.

cloud   la nube
a big, white cloud

una gran nube blanca

coin   la moneda
Pete has two coins in his hand.

Pete tiene dos monedas en la mano.

cold to crash

cold[1]   el resfriado

Helen has a bad cold.

Helen tiene un fuerte resfriado.

cold[2]   frío

Ash wears gloves when it's cold.

Ash lleva guantes cuando hace frío.

colour   el color

bright colours

colores brillantes

comb   el peine

a plastic comb

un peine de plástico

come   venir, llegar

The clown is coming to my party.

El payaso viene a mi fiesta.

The bus comes at one o'clock.

El autobús llega a la una.

computer   el ordenador

I work on a computer.

Trabajo con un ordenador.

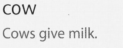

cook   hacer, cocinar

Dad is cooking pancakes.

Papá hace unas tortitas.

copy   copiar

Sally's copying what Polly's doing.

Sally copia lo que hace Polly.

country[1]   el país

The map shows the countries of Africa.

El mapa muestra los países de África.

country[2]   el campo

springtime in the country

la primavera en el campo

cow   la vaca

Cows give milk.

Las vacas dan leche.

crash   estrellarse

The car has crashed into the tree.

El coche se ha estrellado contra un árbol.

a b c d e f g h i j k l m n o p q r s t u v w x y z

crawl to cycle

a b c d e f g h i j k l m n o p q r s t u v w x y z

crawl   **andar a gatas**

This baby is crawling.

Este bebé anda a gatas.

cross[1]   **la cruz**

A cross is made up of two lines.

Una cruz está hecha de dos rayas.

cucumber   **el pepino**

slices of cucumber

unas rodajas de pepino

crayon   **el lápiz de cera**

a box of crayons

una caja de lápices de cera

cross[2]   **cruzar**

a good place to cross the street   un buen sitio para cruzar la calle

cup   **la taza**

I have my tea in a green cup.

Tomo mi té en una taza verde.

creep   **ir de puntillas**

Anna is creeping into the kitchen.   Anna va de puntillas a la cocina.

crown   **la corona**

Kings and queens wear crowns.

Los reyes llevan coronas.

cut   **cortar, (cut out) recortar**

Danny is cutting a circle.

Danny recorta un círculo.

crocodile   **el cocodrilo**

Crocodiles live near water.

Los cocodrilos viven cerca del agua.

cry   **llorar**

Ross is crying because he has tummyache.

Ross llora porque le duele la barriga.

cycle   **ir en bicicleta**

Sara cycles to school.   Sara va a la escuela en bicicleta.

dance   bailar

Stef and Laura are dancing.

Stef y
Laura
están
bailando.

day   el día

The sun shines all day.

El sol brilla todo el día.

delicious   riquísimo

Jack's sandwich
is delicious.

El bocadillo
de Jack está
riquísimo.

dangerous   peligroso

a dangerous
snake

una serpiente
peligrosa

dear   querido

Querido Javi:

Muchas graci...
regalo preci...
Me gusta...

Querida Ana:

Muchas gracias por la
invitación a tu fiesta de
cumpleaños el 26 de
mayo.

Me encantaría ir.

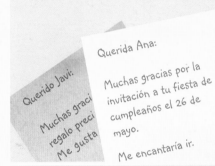

dentist   el dentista
la dentista

I'm not afraid
of the dentist.

No tengo miedo
al dentista.

dark   (colour) oscuro,
(not daylight) de noche

It's dark already.

Ya es de noche.

dark
blue

azul
oscuro

deep   profundo

a deep hole

un hoyo
profundo

desert   el desierto

Very few plants grow in the desert.

Poquísimas plantas crecen
en el desierto.

date   la fecha

What's the date on the calendar?

¿Qué fecha marca el calendario?

deer   el ciervo

Deer live on hills
and in woods.

Los ciervos
viven en los
montes y en
los bosques.

desk   la mesa de trabajo

My desk has six drawers.

Mi mesa de trabajo tiene
seis cajones.

a b c d e f g h i j k l m n o p q r s t u v w x y z

a b c d e f g h i j k l m n o p q r s t u v w x y z

dictionary   el diccionario

A dictionary can explain what words mean.

Un diccionario puede explicar lo que quieren decir las palabras.

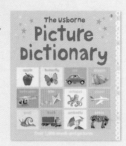

dig   cavar

Anna is digging a hole.

Anna cava un hoyo.

dirty   sucio

Sally's clothes are very dirty.

La ropa de Sally está muy sucia.

die   morirse

My plant is dying because of the heat.

Mi planta se está muriendo por el calor.

digger   la excavadora

a big, yellow digger

una gran excavadora amarilla

disappear   desaparecer

Polly's dog has disappeared.

El perro de Polly ha desaparecido.

different   diferente

The twins wear different colours.

Las gemelas llevan colores diferentes.

dinner   la cena

It's time for dinner.

Es la hora de la cena.

dive   tirarse al agua

Jack is diving into the pool.

Jack se tira al agua en la piscina.

difficult   difícil

It's difficult to look after two babies at the same time.

Es difícil cuidar a dos bebés a la vez.

dinosaur   el dinosaurio

an enormous dinosaur

un dinosaurio enorme

diver   el submarinista

The diver is looking for coral.

El submarinista está buscando coral.

do to dream

do — hacer

Jenny is doing a jigsaw puzzle.

Jenny está haciendo un rompecabezas.

I'm doing my homework.

Estoy haciendo mis deberes.

dolphin — el delfín

A dolphin isn't a fish.

El delfín no es un pez.

dragon — el dragón

A dragon is a kind of monster.

Un dragón es una especie de monstruo.

doctor — el médico / la médica

The doctor is looking after Kirsty.

El médico está cuidando a Kirsty.

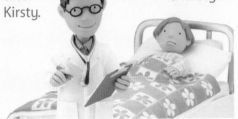

donkey — el burro

A donkey looks like a small horse.

Un burro se parece a un caballo pequeño.

draw — dibujar

Molly is drawing a face.

Molly dibuja una cara.

dog — el perro

a friendly dog

un perro simpático

door — la puerta

The front door is red.

La puerta de entrada es roja.

drawing — el dibujo

Molly's drawing

el dibujo de Molly

doll — la muñeca

What's your doll called?

¿Cómo se llama tu muñeca?

down — hacia abajo

This arrow points down.

Esta flecha apunta hacia abajo.

dream — el sueño

Adam is having a strange dream.

Adam tiene un sueño extraño.

a b c d e f g h i j k l m n o p q r s t u v w x y z

dress to dull

dress¹   el vestido

Anya is wearing a red dress with white flowers.

Anya lleva un vestido rojo con flores blancas.

dress²   vestirse

Robert is dressing himself.

Robert se viste.

drink   beber

Polly is drinking orange juice.

Polly está bebiendo zumo de naranja.

drive   conducir

Mick is driving a dump truck.

Mick conduce un volquete.

drop¹   la gota

two drops of water

dos gotas de agua

drop²   dejar caer

Ellie has dropped her cake.

Ellie ha dejado caer su pastel.

drum   el tambor

a red drum

un tambor rojo

dry¹   secar, (yourself) secarse

Anna is drying herself with a blue towel.

Anna se seca con una toalla azul.

dry²   seco

The clothes are dry.

La ropa está seca.

duck   el pato

There is a duck on the water.

Hay un pato en el agua.

duckling   el patito

How many ducklings are there?

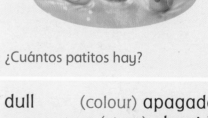

¿Cuántos patitos hay?

dull   (colour) apagado, (story) aburrido

a dull green

un verde apagado

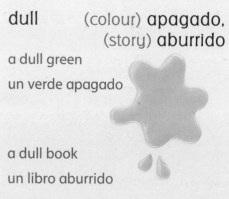

a dull book

un libro aburrido

Ee eagle to email

eagle — el águila (f)
a big eagle

un águila grande

easy — fácil
an easy sum

una suma fácil

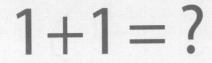

$$1+1=?$$

My book is easy to read.

Mi libro es fácil de leer.

elbow — el codo
Jack is pointing to his elbow.

Jack está señalando su codo.

ear — la oreja
Polly is pointing to Jack's ear.

Polly está señalando la oreja de Jack.

eat — comer
Oliver is eating green apples.

Oliver come manzanas verdes.

electricity — la electricidad
A television needs electricity to work.

Una televisión necesita electricidad para funcionar.

early — temprano
Lucy is arriving early at the party.

Lucy llega temprano a la fiesta.

edge — el borde
The crayon is on the edge of the table.

El lápiz de cera está en el borde de la mesa.

elephant — el elefante
an African elephant

un elefante africano

Earth — la Tierra
The Earth is our planet.

La Tierra es nuestro planeta.

egg — el huevo
We eat hens' eggs.

Comemos huevos de gallina.

email — el correo electrónico
Polly is sending an email.

Polly está enviando un correo electrónico.

a b c d e f g h i j k l m n o p q r s t u v w x y z

empty — vacío

The cookie jar is empty.

El galletero está vacío.

end — (story, time) el fin, (table, line) el extremo

The End

enjoy — (activity) gustar*, (yourself) divertirse

Molly enjoys singing.

A Molly le gusta cantar.

She's enjoying herself.

Se divierte.

enormous — enorme

an enormous blue whale

una enorme ballena azul

envelope — el sobre

a pale green envelope

un sobre verde claro

equal — igual

The two girls have equal amounts of sand.

Las dos niñas tienen cantidades iguales de arena.

escape — escaparse

The black cat is escaping.

El gato negro se escapa.

even — par

The pink bunny is jumping on the even numbers.

El conejo rosa salta en los números pares.

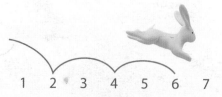

1 2 3 4 5 6 7

evening — la tarde

The sun sets in the evening.

El sol se pone por la tarde.

expensive — caro

The car is more expensive than the duck.

15

4

El coche es más caro que el pato.

explain — explicar

Mr. Levy is explaining the sums.

El señor Levy está explicando las sumas.

2+3 =
5+4 =
8+5 =

eye — el ojo

Jack is pointing to Polly's eye.

Jack está señalando el ojo de Polly.

* This verb is the other way around from English – as though you were saying "Singing pleases Molly".

Ff

face to feel

face[1]   la cara

This is Jack's face.

Ésta es la cara de Jack.

face[2]   estar enfrente

One giraffe is facing the other.

Una girafa está enfrente de la otra.

fact   el hecho

It is a fact that babies sleep a lot.

Es un hecho que los bebés duermen mucho.

fairy   el hada (f)

The fairy has a magic wand.

El hada tiene una varita mágica.

fall   caer, (over) caerse

When the clown falls, everyone laughs.

Cuando el payaso se cae, todo el mundo se ríe.

far   lejos

The butcher's shop isn't far.

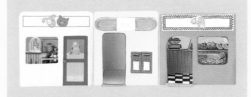

La carnicería no está lejos.

farm   la granja

There are sheep on this farm.

En esta granja hay ovejas.

farmer   el granjero

Mike is a farmer.

Mike es granjero.

fast   rápido

Eric goes very fast on his skis.

Eric va muy rápido en sus esquíes.

fat   gordo

a fat cat

un gato gordo

feed   dar de comer

Polly is feeding the hens.

Polly da de comer a las gallinas.

feel   (touch) tocar, (happy or sad) sentirse

Feel this silk!   ¡Toca esta seda!

Beth is feeling great.

Beth se siente de maravilla.

a b c d e f g h i j k l m n o p q r s t u v w x y z

a b c d e f g h i j k l m n o p q r s t u v w x y z

fence — la valla
the garden fence

la valla del jardín

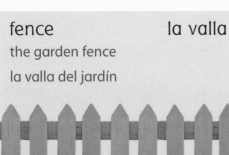

few — poco
Becky has very few strawberries.

Becky tiene muy pocas fresas.

field — el campo
There are some cows in the field.

Hay unas vacas en el campo.

fight — pelearse
The children are fighting with cushions.

Los niños se pelean con unos cojines.

fill — llenar
Ivan fills his wheelbarrow with sand.

Ivan llena su carretilla de arena.

find — encontrar
Megan is finding crayons under the table.

Megan encuentra lápices de cera debajo de la mesa.

finger — el dedo
Jack is pointing to his finger.

Jask está señalando su dedo.

finish — terminar
Danny is finishing his drink.

Danny está terminando su bebida.

fire — el fuego,
(house on fire) el incendio
a wood fire

un fuego de leña

fire engine — el coche de bomberos
The fire engine is new.

El coche de bomberos es nuevo.

firefighter — el bombero
Firefighters put out fires.

Los bomberos apagan los incendios.

first — primero
Jenny is first.

Jenny es la primera.

fish to flower

fish¹   el pez

I have some tropical fish.

Tengo unos peces tropicales.

fish²   pescar

Karl likes fishing.

A Karl le gusta pescar.

fit¹   quedar bien

This sweater doesn't fit Jenny.

Este jersey no le queda bien a Jenny.

fit²   en forma

Alice plays tennis to keep fit.

Alice juega al tenis para mantenerse en forma.

fix   (mend) arreglar, (attach) fijar

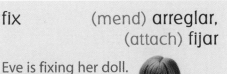

Eve is fixing her doll.

Eve arregla su muñeca.

She is fixing the head on.

Está fijando la cabeza.

flag   la bandera

the French flag

la bandera de Francia

flat   plano

A plank is a flat piece of wood.

Una tabla es un trozo plano de madera.

float   flotar

The yellow duck is floating.

El pato amarillo está flotando.

flood   la inundación

There are often floods here.

A menudo hay inundaciones aquí.

floor   el suelo

There are lots of toys on the floor.

Hay muchos juguetes en el suelo.

flour   la harina

Here's some flour for making bread.

Aquí hay harina para hacer pan.

flower   la flor

Roses are my favourite flowers.

Las rosas son mis flores preferidas.

a b c d e f g h i j k l m n o p q r s t u v w x y z

fly[1]   la mosca

A fly is an insect.

La mosca es un insecto.

food   la comida

special food for the party

comida especial
para la fiesta

fork   el tenedor

a blue fork

un tenedor azul

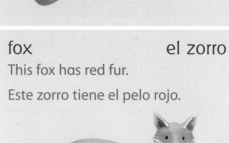

fly[2]   volar

These two birds are flying.

Estos dos pájaros
están volando.

foot   el pie

Your foot is at the end of your leg.

El pie está en
el extremo
de la pierna.

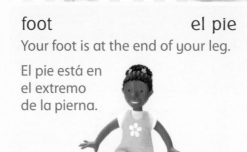

fox   el zorro

This fox has red fur.

Este zorro tiene el pelo rojo.

foal   el potro

The foal is on the left.

El potro está
a la izquierda.

forest   el bosque

a forest of fir trees

un bosque de abetos

free   (no cost) gratis, (not restricted) libre

One jar is free.   Un tarro es gratis.

¡COMPRA 1,
1 GRATIS!

BUY 1,
GET 1 FREE!

This space is free.

Esta plaza está libre.

fold   plegar

Clive is folding
the orange
paper.

Clive está
plegando
el papel
de color
naranja.

forget   olvidar

Jan has forgotten the way.

Jan ha olvidado
el camino.

freeze   helarse, (by someone) congelar

The water's
freezing.

El agua se
hiela.

I've frozen the bread.

He congelado el pan.

freezer — el congelador
This freezer is filled with food.

Este congelador está lleno de comida.

frog — la rana
This frog is from South America.

Esta rana es de Sudamérica.

full — lleno
Greg's trolley is full.

El carrito de Greg está lleno.

fresh — fresco
Mrs. Martin sells fresh fruit.

La señora Martin vende fruta fresca.

front — delante
The front door is open.

La puerta de delante está abierta.

fun — divertido
It's fun going on the roundabout.

Es divertido montar en la rueda.

friend — el amigo / la amiga
Ellie's friends are coming to her party.

Los amigos de Ellie vienen a su fiesta.

fruit — la fruta
some lovely fruit

unas frutas muy buenas

funny — gracioso
(strange) raro

Jack is telling a funny story.

Jack cuenta una historia graciosa.

a funny smell

un olor raro

friendly — simpático
Marco is very friendly.

Marco es muy simpático.

fry — freír
Dad is frying some eggs.

Papá fríe unos huevos.

fur — el pelo, (on clothes) la piel
This kitten has soft fur.

Este gatito tiene el pelo suave.

a fur cap

una gorra de piel

a b c d e f g h i j k l m n o p q r s t u v w x y z

Gg game to give

game   el juego, el partido

a children's game

un juego de niños

a game of basketball

un partido de baloncesto

gentle   dulce, (animal) manso

Pip is a gentle dog.

Pip es un perro manso.

gift   el regalo

Becky has a birthday gift for Polly.

Becky tiene un regalo de cumpleaños para Polly.

garden   el jardín

There are lots of flowers in Aggie's garden.

Hay muchas flores en el jardín de Aggie.

gerbil   el jerbo

A gerbil is a small animal.

El jerbo es un animal pequeño.

giraffe   la jirafa

A giraffe is an African animal.

La jirafa es un animal africano.

gas   el gas

This balloon is filled with gas.

Este globo está lleno de gas.

ghost   el fantasma

I don't believe in ghosts.

No creo en los fantasmas.

girl   la niña

There are three girls here.

Aquí hay tres niñas.

gate   la puerta

The garden gate is blue.

La puerta del jardín es azul.

giant   el gigante

a friendly giant

un gigante simpático

give   dar, (as gift) regalar

Ethan is giving Jenny some wagons.

Ethan da unos vagones a Jenny.

30

glad to goose

glad — contento

Sally is glad to see Jenny.

Sally está contenta de ver a Jenny.

glue — el pegamento

Danny is making a picture with paper and glue.

Danny está haciendo un cuadro con papel y pegamento.

gold — el oro, (golden) dorado

Gold is a precious metal.

El oro es un metal precioso.

glass — (material) el vidrio, (for drinking) el vaso

a glass of milk — un vaso de leche

Windows are made of glass.

Las ventanas son de vidrio.

go — ir

The cars are going onto the ferry.

Los coches van en el ferry.

good — bueno

a good meal

una buena comida

$3 + 3 = 6$ ✓
$2 + 5 = 7$ ✓
$8 - 6 = 2$ ✓
$4 + 1 = 5$ ✓

Good work!

¡Buen trabajo!

glasses — las gafas

Dad and Granny wear glasses.

Papá y la abuela llevan gafas.

goal — el gol

Our team has scored a goal.

Nuestro equipo ha marcado un gol.

GOAL! ¡GOL!

goodbye — adiós

Polly is saying goodbye to her friends.

Polly dice adiós a sus amigos.

¡Adiós!

glove — el guante

Polly has some red gloves.

Polly tiene unos guantes rojos.

goat — la cabra

Goats climb hills very well.

Las cabras trepan muy bien por las colinas.

goose — la oca

A goose is a bird with a long neck.

La oca es un pájaro de cuello largo.

a b c d e f g h i j k l m n o p q r s t u v w x y z

grape to guitar

grape　　　　**la uva**

a bunch of grapes

un racimo de uvas

ground　　　　**el suelo**

Polly is looking at ants on the ground.

Polly está mirando unas hormigas en el suelo.

guess　　　　**adivinar**

Is Polly going to guess what's in the box?

¿Va a adivinar Polly lo que hay en la caja?

grapefruit　　　**el pomelo**

I like grapefruit with sugar.

Me gustan los pomelos con azúcar.

group　　　　**el grupo**

a group of children

un grupo de niños

guest　　　**el invitado**
　　　　　　la invitada

Ellie is welcoming the guests.

Ellie da la bienvenida a los invitados.

grass　　　　**la hierba**

Cows and sheep eat grass.

Las vacas y las ovejas comen hierba.

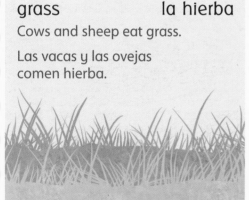

grow　　　　**crecer**

My plant is growing very fast.

Mi planta crece muy deprisa.

guinea pig　　**la cobaya**

A guinea pig is a small pet.

La cobaya es una mascota pequeña.

great　(big) **gran, grande,**
　　(fantastic) **estupendo**

a great effort　un gran esfuerzo

a great day at the beach

un día estupendo en la playa

grown-up　(la persona)
　　　　　　mayor

Grown-ups are always stopping to chat.

Los mayores siempre se paran a charlar.

guitar　　　**la guitarra**

A guitar is an instrument with six strings.

La guitarra es un instrumento con seis cuerdas.

hair — el pelo

Rosie and Katie have fair hair.

Rosie y Katie tienen el pelo rubio.

hammer — el martillo

a hammer for doing DIY

un martillo para hacer bricolaje

hang up — colgar

Jack is hanging up his jacket.

Jack está colgando su chaqueta.

hairbrush — el cepillo

I have a red hairbrush.

Tengo un cepillo rojo.

hamster — el hámster

Hamsters eat nuts and seeds.

Los hámsters comen frutos secos y semillas.

happen — pasar

What's happening here?

¿Qué pasa aquí?

half — medio, media, (portion) la mitad

one and a half hours — una hora y media

half the bun

la mitad del panecillo

hand — la mano

This is Jack's left hand.

Ésta es la mano izquierda de Jack.

happy — feliz

Sally is feeling very happy today.

Sally se siente muy feliz hoy.

hamburger — la hamburguesa

Dad's making hamburgers.

Papa está haciendo unas hamburguesas.

handle (door) la manilla, (knife, pan) el mango

the door handle

la manilla de la puerta

hard (surface) duro, (task) difícil

a hard job

un trabajo difícil

hard ground

un suelo duro

a b c d e f g h i j k l m n o p q r s t u v w x y z

hat to helmet

hat — el sombrero

I have an orange hat with a flower.

Tengo un sombrero de color naranja con una flor.

hear — oír

Jack can hear the dog barking.

Jack oye ladrar al perro.

Woof woof!

¡Guau guau!

height — la altura, (person) la estatura

Dad is checking Milo's height.

Papá está comprobando la estatura de Milo.

hate — odiar

Maddy hates spiders.

Maddy odia las arañas.

heart — el corazón

My heart is beating fast.

Mi corazón late deprisa.

heart shaped

en forma de corazón

helicopter — el helicóptero

an emergency helicopter

un helicóptero de urgencias

have — tener

Julia has some new red shoes.

Julia tiene unos zapatos rojos nuevos.

heat — calentar

Yvonne is heating coffee in the microwave.

Yvonne está calentando café en el microondas.

hello — hola

Lisa is saying hello to her sister.

¡Hola!

Lisa dice hola a su hermana.

head — la cabeza

Polly's head is in the circle.

La cabeza de Polly está en el círculo.

heavy — pesado

The boys are trying to move a heavy parcel.

Los chicos están intentando mover un paquete pesado.

helmet — el casco

Grace wears a helmet for skateboarding.

Grace lleva casco para montar en monopatín.

a b c d e f g h i j k l m n o p q r s t u v w x y z

help — ayudar

Jack is helping his dad with the cooking.

Jack ayuda a su papá con la cocina.

highchair — la trona

Highchairs are for small children.

Las tronas son para los niños pequeños.

hold — sostener

Neil is holding the cup.

Neil sostiene la copa.

hen — la gallina

Hens lay eggs.

Las gallinas ponen huevos.

hill — la colina

The house is at the top of the hill.

La casa está en lo alto de la colina.

hole — el agujero, (in the ground) el hoyo

There's a hole in this sweater.

Hay un agujero en este jersey.

hide — (things) esconder, (yourself) esconderse

The clown is hiding behind the armchair.

El payaso se esconde detrás del sillón.

hippopotamus (or hippo) — el hipopótamo

Hippos live in Africa.

Los hipopótamos viven en África.

home — la casa

This is our home.

Ésta es nuestra casa.

high — alto

The balloon is very high in the sky.

El globo va muy alto por el cielo.

a high building

un edificio alto

hit — golpear

Alice is hitting the ball with her racket.

Alice golpea la pelota con su raqueta.

honey — la miel

Honey is very sweet.

La miel es muy dulce.

a b c d e f g h i j k l m n o p q r s t u v w x y z

a b c d e f g h i j k l m n o p q r s t u v w x y z

hop — dar saltos

Anna is hopping.

Anna está dando saltos.

hotdog — el perrito caliente, el hot dog

A hotdog is a bun with a sausage.

Un perrito caliente es un panecillo con una salchicha.

hug — abrazar

Nicholas is hugging his teddy bear.

Nicholas abraza a su osito.

horse — el caballo

Martin's horse is called Star.

El caballo de Martin se llama Star.

hotel — el hotel

Mr. Brand is spending his holiday at this hotel.

El señor Brand pasa sus vacaciones en este hotel.

(to be) hungry — tener hambre

Oliver is very hungry.

Oliver tiene mucha hambre.

hospital — el hospital

the new hospital

el hospital nuevo

hour — la hora

The short hand on the clock shows the hours.

La manecilla corta del reloj señala las horas.

hurry — darse prisa

Jack and Polly are hurrying to catch the dog.

Jack y Polly se dan prisa para atrapar al perro.

hot — caliente

Careful, it's hot!

¡Cuidado, está caliente!

house — la casa

a house with a garden — una casa con jardín

hurt — doler

Ross is crying because his tummy hurts.

Ross está llorando porque le duele la barriga.

ice   el hielo

ice cubes

cubitos de hielo

inside   dentro

The kitten is inside the flowerpot.

El gatito está dentro de la maceta.

Let's go inside.
Vamos dentro.

invite   invitar

Imogen is inviting Martin to her party.

¿Quieres venir a mi fiesta?

Imogen está invitando a Martin a su fiesta.

ice cream   el helado

different flavours of ice cream

helados de sabores diferentes

instead   en vez

Mrs. Dot has made iced tea instead of fruit juice today.

Hoy he hecho té frío en vez de zumo de fruta.

iron   la plancha

a steam iron   una plancha de vapor

idea   la idea

Andy has an idea: Let's go and play in the park!

¡Vamos a jugar en el parque!

Andy tiene una idea.

Internet   Internet (m/f)

Polly is searching the Internet.

Polly está buscando información en Internet.

island   la isla

a desert island   una isla desierta

insect   el insecto

These minibeasts are all insects.

Todos estos animalitos son insectos.

invitation   la invitación

a party invitation   una invitación a una fiesta

Isabel te invita a su
Fiesta de Cumpleaños
el sábado 6 de abril
a las 4.30h

itch   picar

Fred's ear itches.

A Fred le pica la oreja.

a b c d e f g h i j k l m n o p q r s t u v w x y z

Jj

jacket to jungle

a b c d e f g h i j k l m n o p q r s t u v w x y z

jacket   **la chaqueta**

Kathy is wearing a yellow jacket.

Kathy lleva una chaqueta amarilla.

job   **el empleo**

Aggie has a job. She is a gardener.

Aggie tiene un empleo. Es jardinera.

juggle   **hacer juegos malabares**

The clown is juggling with some toys.

El payaso está haciendo juegos malabares con unos juguetes.

jar   **el tarro**

jars of honey, mustard and jam

unos tarros de miel, mostaza y mermelada

join   (attach) **unir,** (become a member) **hacerse socio**

Ethan is joining the wagons to the train.

Ethan une los vagones al tren.

juice   **el zumo**

orange juice

zumo de naranja

jeans   **los vaqueros**

new jeans

unos vaqueros nuevos

joke   **el chiste**

Jack's joke: El chiste de Jack:

¿Qué animal hace zzzb?

¡Una abeja dando marcha atrás!

What animal goes zzzub?   A bee going backwards!

jump   **saltar**

Sally is jumping because she's happy.

Sally está saltando porque está contenta.

jigsaw   **el rompecabezas**

This jigsaw is easy.

Este rompecabezas es fácil.

journey   **el viaje**

a train journey

un viaje en tren

jungle   **la jungla**

There are lots of plants and animals in the jungle.

Hay muchas plantas y muchos animales en la jungla.

Kk kangaroo to kite

kangaroo — el canguro

A kangaroo is an Australian animal.

El canguro es un animal australiano.

kid — el cabrito

a goat and her kid

una cabra y su cabrito

king — el rey

Adam is dressed up as a king.

Adam está disfrazado de rey.

keep — guardar, conservar

Sam keeps his things on a shelf.

Sam guarda sus cosas en un estante.

Keep the butter cold.

Conserva la mantequilla fría.

kill — matar

The heat has killed my plant.

El calor ha matado a mi planta.

kiss — besar

Polly is kissing Alex.

Polly besa a Alex.

key — la llave

the front door key

la llave de la puerta de entrada

kind[1] — el tipo

different kinds of fruit

varios tipos de frutas

kitchen — la cocina

Dad and Jack are in the kitchen.

Papá y Jack están en la cocina.

kick — dar una patada

Neil is kicking the ball.

Neil da una patada al balón.

kind[2] — amable

Mr. Dot is kind. He does his neighbour's shopping.

El señor Dot es muy amable. Hace la compra a su vecino.

kite — la cometa

a red and yellow kite

una cometa roja y amarilla

kitten el gatito

The kitten is playing with a ball of wool.

El gatito está jugando con un ovillo de lana.

knight el caballero

This knight has shiny armour.

Este caballero lleva una armadura reluciente.

ladder la escalera

a small ladder

una escalera pequeña

knee la rodilla

This is Polly's right knee.

Ésta es la rodilla derecha de Polly.

knock golpear, (over) tirar

Pip has knocked the chair over.

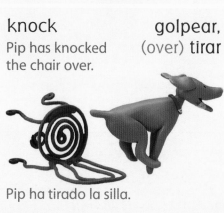

Pip ha tirado la silla.

lady la señora

The two ladies are chatting.

Las dos señoras están charlando.

kneel (down) arrodillarse, (be kneeling) estar de rodillas

Suzie is kneeling.

Suzie está de rodillas.

knot el nudo

a simple knot

un nudo sencillo

ladybird la mariquita

A ladybird is an insect.

La mariquita es un insecto.

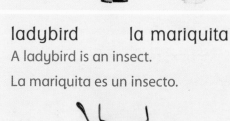

knife el cuchillo

I need a knife to cut the apple.

Necesito un cuchillo para cortar la manzana.

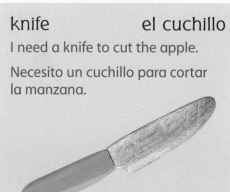

know (people) conocer, (facts) saber

Sam knows these children.

Sam conoce a estos niños.

I know he is angry.

Sé que está enfadado.

lake el lago

There is a small lake in the valley.

Hay un pequeño lago en el valle.

a b c d e f g h i j k l m n o p q r s t u v w x y z

lamb to lean

lamb — el cordero

A lamb is a baby sheep.

El cordero es la cría de le oveja.

lamp — la lámpara

Here are two table lamps.

Aquí hay dos lámparas de mesa.

land — la tierra

On this map, the land is brown.

En este mapa, la tierra es marrón.

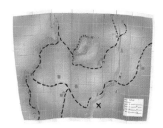

language — el lenguaje, (foreign) el idioma

Guten Tag! Bonjour!

They can speak foreign languages.
Saben hablar idiomas extranjeros.

large — gran, grande

Becky is under a large tree.

Becky está debajo de un gran árbol.

last — último

The black dog is last.

El perro negro es el último.

late — tarde, (delayed) con retraso

The bus is always late.

El autobús llega siempre con retraso.

late at night

tarde por la noche

PLAZA MA
4

laugh — reírse

Jack and Polly are laughing.

Jack y Polly se están riendo.

¡Ja ja ja! ¡Ji ji ji!

lazy — perezoso

a lazy cat

un gato perezoso

lead — ir a la cabeza, (direction) conducir

The white duck is leading.

El pato blanco va a la cabeza.

This road leads to the village.

Esta carretera conduce al pueblo.

leaf — la hoja

leaves from a tree

unas hojas de árbol

lean — inclinarse

The tower leans to the right.

La torre se inclina hacia la derecha.

learn to lick

a b c d e f g h i j k l m n o p q r s t u v w x y z

learn — **aprender**

Steve is learning to play the guitar.

Steve aprende a tocar la guitarra.

lemon — **el limón**

seven lemons

siete limones

let — **dejar**

Mr. Dot is letting Jack post his letter.

El señor Dot deja que Jack eche su carta.

leave — **(a place) irse, (something) dejar**

Mr. Bun is leaving.

El señor Bun se va.

I've left my bag at home.

He dejado mi bolsa en casa.

length — **el largo**

a ruler to measure the length of the paper

una regla para medir el largo del papel

letter — **la carta**

a letter to a friend

una carta a una amiga

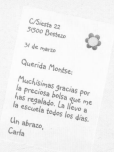

C/Siesta 22
51500 Bostezo

31 de marzo

Querida Montse:

Muchísimas gracias por la preciosa bolsa que me has regalado. La llevo a la escuela todos los días.

Un abrazo,
Carla

left — **izquierdo**

Lisa is holding the crayon in her left hand.

Lisa tiene el lápiz de cera en su mano izquierda.

less — **menos**

Ethan has less ice cream than Olivia.

Ethan tiene menos helado que Olivia.

lettuce — **la lechuga**

Lettuce goes well in salads.

La lechuga va bien en las ensaladas.

leg — **la pierna**

Tamsin wears tights so her legs don't get cold.

Tamsin lleva medias para no tener frío en las piernas.

lesson — **la lección**

Mr. Levy is giving a maths lesson.

El señor Levy da una lección de aritmética.

$2 + 4 = 6$

lick — **lamer**

Pip is licking Jack.

Pip está lamiendo a Jack.

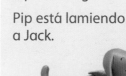

lid to lip

lid　　　　**la tapa**

the lid of the mustard jar

la tapa del tarro de mostaza

lie¹　(lie down) **acostarse,**
　　(be lying) **estar acostado**

Kirsty is
lying in
bed.

Kirsty está acostada
en su cama.

lie²　　　　**mentir**

He's lying.　　Está mintiendo.

¿Está ahí
dentro?

No,
no está.

life　　　　**la vida**

Granny and Granddad have had
long, happy lives.

La abuela y
el abuelo han
tenido una
vida larga
y feliz.

lift　　　　**levantar**

The clown is pretending to lift
something
very heavy.

El payaso está fingiendo levantar
algo muy pesado.

light¹　　　　**la luz**

This lamp gives a lot of light.

Esta lámpara da mucha luz.

Switch off
the lights!

¡Apaga
la luz!

light²　(not heavy) **ligero,**
　　(colour) **claro, pálido**

light pink

rosa pálido

light as
a feather

ligero como una pluma

like¹　　　　**gustar ***

Becky likes strawberries.

A Becky le
gustan las
fresas.

like²　　　　**como**

Sara has black hair, like
her brother.

Sara tiene el pelo negro, como
su hermano.

line　(on paper) **la línea,**
　　(of people) **la hilera**

a line of footballers

una hilera de futbolistas

lion　　　　**el león**

A lion is a wild animal.

El león es un
animal
salvaje.

lip　　　　**el labio**

Zach's
top lip

el labio
superior
de Zach

* This verb is the other way around from English – as
though you were saying "Strawberries please Becky".

a b c d e f g h i j k l m n o p q r s t u v w x y z

a b c d e f g h i j k l m n o p q r s t u v w x y z

list — la lista
a list of first names

una lista de nombres

Adam
Becky
Danny
Ellie
Katie
Maddy
Ross
Stephanie

long — largo
A giraffe has a very long neck.

La jirafa tiene un cuello muy largo.

loud — fuerte
The music is very loud.

La música está muy fuerte.

live — vivir
The Dot family live here.

La familia Dot vive aquí.

look — mirar
Polly is looking at the clown.

Polly mira al payaso.

love — (people) querer, (things) encantar *
Beth loves having her bath.

A Beth le encanta bañarse.

lock — la cerradura
I need the key for this lock.

Necesito la llave de esta cerradura.

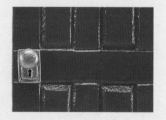

lose — perder
I've lost my ticket.

He perdido mi billete.

The boys have lost the match.

Los chicos han perdido el partido.

low — bajo
This bird is flying very low.

Este pájaro vuela muy bajo.

log — el tronco
a log for the fire

un tronco para el fuego

(a) lot — mucho, mucha, muchos, muchas
a lot of teddies

muchos ositos

lunch — la comida
Sally has pizza for lunch.

Sally toma pizza a la hora de la comida.

* This verb is the other way around from English – as though you were saying "Bathing delights Beth".

Mm machine to meal

machine   la máquina
a sewing machine

una máquina de coser

man   el hombre
This man has black hair.

Este hombre tiene el pelo negro.

match¹ (game) el partido, (for fire) la cerilla

a football match

un partido de fútbol

I have one match left.

Me queda una cerilla.

magic   la magia
The clown is doing magic tricks.

El payaso hace trucos de magia.

many   muchos muchas

There are many bees on this flower.

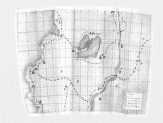

Hay muchas abejas en esta flor.

match²   hacer juego
These socks match.

Estos calcetines hacen juego.

These socks don't match.

Estos calcetines no hacen juego.

main   principal
the main entrance of the museum

la entrada principal del museo

map   el mapa
a map of the region

un mapa de la región

matter   importar
Winning matters a lot to Neil and his team.

A Neil y a su equipo les importa mucho ganar.

make   hacer
Ethan is making potato people.

Ethan hace muñecos con patatas.

market   el mercado
the fruit and vegetable market

el mercado de frutas y verduras

meal   la comida
The meal is almost ready.

La comida está casi lista.

a b c d e f g h i j k l m n o p q r s t u v w x y z

a b c d e f g h i j k l m n o p q r s t u v w x y z

mean   querer decir, significar

Mr. Levy is explaining what "x" means.

El señor Levy está explicando lo que quiere decir "x".
   or
...lo que significa "x".

measure   medir

Dad is measuring Milo's height.

Papá mide la estatura de Milo.

meat   la carne

Chicken is a kind of meat.

El pollo es un tipo de carne.

medicine   la medicina

cough medicine

medicina para la tos

meet   (by chance) encontrarse, (by arrangement) quedar

Polly has met Lisa.

Polly se ha encontrado con Lisa.

mend   arreglar, (clothes) remendar

Robert is mending his shirt.

Robert está remendando la camisa.

mess   el desorden

What a mess!   ¡Qué desorden!

message   el mensaje

There's a message for Mrs. Dot to call Paula.

Hay un mensaje para la señora Dot.

MAMÁ, LLAMA A PAULA, POR FAVOR.

metal   el metal

This bucket is made of metal.

Este cubo es de metal.

microwave   el microondas

a new microwave

un microondas nuevo

middle   el medio

The bear is in the middle of the grass.

El oso está en el medio de la hierba.

milk   la leche

fresh milk

leche fresca

mind to more

mind **molestar*,**
(be careful) (tener) cuidado

I don't mind spiders.

Las arañas no me molestan.

Mind the step!

¡Cuidado con el escalón!

mistake el error, la falta

I've made a spelling mistake.

He cometido una falta de ortografía.

desalluno

monkey el mono

five funny monkeys

cinco monos graciosos

minute el minuto

It's a few minutes past nine.

Son las nueve y unos minutos.

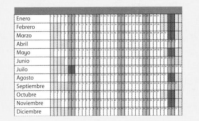

mix mezclar

Oliver is mixing the ingredients to make a cake.

Oliver está mezclando los ingredientes para hacer un pastel.

month el mes

There are twelve months in a year.

Hay doce meses en un año.

Enero								
Febrero								
Marzo								
Abril								
Mayo								
Junio								
Juilo								
Agosto								
Septiembre								
Octubre								
Noviembre								
Diciembre								

mirror el espejo

Jack's looking at himself in the mirror.

Jack se mira en el espejo.

model el modelo, la maqueta

Billy has a model boat.

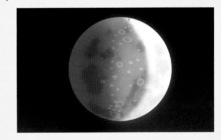

Billy tiene una maqueta de un barco.

moon la luna

Look at the moon!

¡Mira la luna!

miss (train, ball) perder, (person) echar de menos

Liddy misses her mum.

Liddy echa de menos a su mamá.

money el dinero

I have some money to buy a present.

Tengo dinero para comprar un regalo.

more más

Sally has more sand than Amy.

Sally   Amy

Sally tiene más arena que Amy.

* This verb is the other way around from English – as though you were saying: "Spiders don't bother me".

47

a b c d e f g h i j k l m n o p q r s t u v w x y z

a b c d e f g h i j k l m n o p q r s t u v w x y z

morning   la mañana

a summer morning

una mañana de verano

mountain   la montaña

Mountains are higher than hills.

Las montañas son más altas que las colinas.

much   mucho, mucha, muchos, muchas

Mrs. Moon hasn't done much shopping.

La señora Moon no ha hecho muchas compras.

most   el más, la más, los más, las más

Which caterpillar has the most stripes?

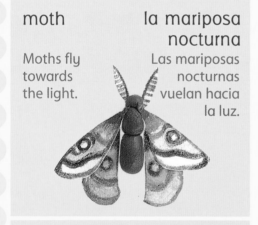

¿Cuál oruga es la más rayada?

mouse   el ratón

a pet mouse

un ratón doméstico

a computer mouse

un ratón de ordenador

mud   el barro

Sally is covered in mud.

Sally está cubierta de barro.

moth   la mariposa nocturna

Moths fly towards the light.

Las mariposas nocturnas vuelan hacia la luz.

mouth   la boca

Jack is pointing to Polly's mouth.

Jack está señalando la boca de Polly.

mushroom   el champiñón

Mushrooms are good to eat.

Los champiñones están muy ricos.

motorbike   la moto

This is Steve's new motorbike.

Ésta es la moto nueva de Steve.

move   mover

The crane is moving the crate.

La grua está moviendo la caja.

Don't move!

¡No te muevas!

music   la música

Steve, Marco and Molly love music.

A Steve, a Marco y a Molly les encanta la música.

nail (metal) el clavo, (fingernail) la uña

I need some nails to fix the chair.

Necesito unos clavos para arreglar la silla.

nail varnish

esmalte de uñas

name el nombre

Polly is choosing a name for her tiger.

Polly elige un nombre para su tigre.

narrow estrecho

The gap is so narrow that the kitten can't fit through.

El hueco es tan estrecho que el gatito no puede pasar.

nature la naturaleza

Polly is interested in nature.

Polly está interesada en la naturaleza.

naughty travieso

That naughty dog has stolen Jack's cake.

Ese perro travieso ha robado el pastel de Jack.

near cerca

The school is near the river.

La escuela está cerca del río.

neck el cuello

A giraffe has a very long neck.

La jirafa tiene un cuello muy largo.

necklace el collar

Ruth has a pretty necklace.

Ruth tiene un collar bonito.

need necesitar, (to do something) tener que

Sam needs to sleep.

Sam necesita dormir.

needle la aguja

a sewing needle

una aguja de coser

knitting needles

unas agujas de hacer punto

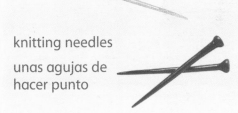

neighbour el vecino la vecina

These two people are neighbours.

Éstas dos personas son vecinas.

nest el nido

Birds build nests for their eggs.

Los pájaros construyen nidos para sus huevos.

a b c d e f g h i j k l m n o p q r s t u v w x y z

49

net to noisy

net[1]   la red

Julia has a small fishing net.

Julia tiene una pequeña red de pesca.

The ball is caught in the net.

La pelota está atrapada en la red.

Net[2]   la Red

Polly is searching the Net.

Polly busca información en la Red.

never   nunca

The postman never smiles.

El cartero no sonríe nunca.

new   nuevo

Julia has some new shoes.

Julia tiene unos zapatos nuevos.

news   las noticias

Mrs. Beef has some bad news: Oscar has disappeared.

¡Oscar ha desaparecido!

La señora Beef tiene malas noticias.

newspaper   el periódico

This is Dad's newspaper.

Éste es el periódico de papá.

next   (beside) al lado, (after that) después, (next week) próximo

The yellow car is next to the red car.

El coche amarillo está al lado del coche rojo.

nice   (person) simpático, (to look at) bonito

Danny has made a very nice picture.

Danny ha hecho un cuadro muy bonito.

night   la noche

It's night time.   Es de noche.

nod   asentir con la cabeza

The dog is nodding.

El perro asiente con la cabeza.

noise   el ruido

This baby is making a lot of noise.

WAH!
¡BUA!

Este bebé hace mucho ruido.

noisy   ruidoso

The boys are very noisy.

Los chicos son muy ruidosos.

a b c d e f g h i j k l m n o p q r s t u v w x y z

nose — la nariz

Polly is pointing to Jack's nose.

Polly está señalando la nariz de Jack.

note (money) el billete, (message, music) la nota

a note for Mr. Dot

una nota para el señor Dot

a five euro note

un billete de cinco euros

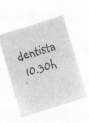

dentista
10.30h

notebook — el cuaderno

This is Jack's notebook.

Éste es el cuaderno de Jack.

notice — darse cuenta

The clown is hiding and Annie hasn't noticed.

El payaso se ha escondido y Annie no se ha dado cuenta.

now — ahora

The clown is holding a pie...

El payaso sostiene una tarta...

...now he falls down in it.

...ahora se cae encima de ella.

number el número, (figure) la cifra

01 22 34 55 67

My phone number is ten numbers long.

Mi número de teléfono tiene diez cifras.

nurse el enfermero la enfermera

The nurse is pushing Sally in a wheelchair.

La enfermera está empujando a Sally en una silla a ruedas.

nut — el fruto seco

Nuts are good as a snack.

Los frutos secos son un buen aperitivo.

ocean — el océano

An ocean is a huge sea.

Un océano es un mar enorme.

o'clock la hora, las horas (not said)

one o'clock in the afternoon

la una de la tarde

seven o'clock in the morning — las siete de la mañana

octopus — el pulpo

An octopus has eight tentacles.

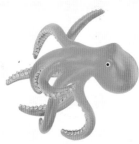

El pulpo tiene ocho tentáculos.

odd (number) impar, (strange) raro

The blue bunny is jumping on the odd numbers.

1 2 3 4 5 6

El conejo azul salta en los números impares.

That's odd.　　　¡Qué raro!

a b c d e f g h i j k l m n o p q r s t u v w x y z

a
b
c
d
e
f
g
h
i
j
k
l
m
n
o
p
q
r
s
t
u
v
w
x
y
z

often   a menudo

Mr. Dot and Jack often go
and do the shopping.

El señor Dot y Jack
van a menudo
a hacer la
compra.

oil   el aceite

Sunflower oil
is good for
cooking.

El aceite de
girasol es
bueno para
cocinar.

old   viejo

an old man

un hombre viejo

an old shoe

un zapato
viejo

once   una vez

They've been on a
balloon trip once.

Han hecho un viaje
en globo una vez.

Once upon a time...

Érase una vez...

onion   la cebolla

An onion has a strong taste.

La cebolla tiene un gusto fuerte.

only   sólo, solamente

Becky only
has two
strawberries.

Becky sólo
tiene dos
fresas.

or
Becky solamente tiene dos fresas.

open[1]   abrir

Mr. Dot is opening
the front door.

El señor Dot abre
la puerta de entrada.

Mrs. Dot is opening
the box.

La señora Dot abre
la caja.

open[2]   abierto

Mrs. Bird's shop is open on
Saturdays.

La tienda de
la señora
Bird está
abierta
los
sábados.

opposite[1]   opuesto

"Big" and "small" are opposite
words.

"Grande" y "pequeño" son palabras
opuestas.

opposite[2]   enfrente

Becky is
sitting opposite
her teddy.

Becky está
sentada enfrente
de su osito.

orange   la naranja,
(colour) (de color) naranja

a juicy   una naranja
orange   jugosa

orange paint   pintura de
color naranja

other   otro

¿Tienes otros juguetes?

Pues, no.

Jenny's asking if Ethan has any
other toys.

outside — fuera, afuera

The monkey is outside the box.

El mono está fuera de la caja.

Let's go and play outside!

¡Vamos a jugar afuera!

over — (above) sobre, (finished) terminado

The bird is flying over the tree.

El pájaro está volando sobre el árbol.

The party is over.

La fiesta ha terminado.

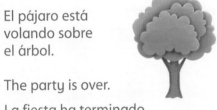

owl — el búho

Owls come out at night.

Los búhos salen de noche.

own — propio

Mrs. Bird has her own shop.

La señora Bird tiene tienda propia.

page — la página

Polly is looking at the words on the page.

Polly mira las palabras en la página.

paint¹ — la pintura

bottles of paint

unas botellas de pintura

paint² — pintar

Shelley is painting an orange cat.

Shelley está pintando un gato naranja.

I am painting my bedroom.

Estoy pintando mi habitación.

pair — el par

a pair of stripy socks

un par de calcetines a rayas

palace — el palacio

a palace with golden domes

un palacio con cúpulas doradas

pale — claro, pálido

pale blue
azul claro

pale green
verde claro

pale yellow
amarillo pálido

paper — el papel, (newspaper) el periódico

writing paper

papel de escribir

parachute — el paracaídas

Mr. Brand is doing a parachute jump.

El señor Brand hace un salto en paracaídas.

parent to pay

parents — los padres

Mr. and Mrs. Dot are Polly and Jack's parents.

El señor y la señora Dot son los padres de Polly y Jack.

part — la parte

A wheel is part of a car.

La rueda es una parte del coche.

past[2] — por delante

They run past the shops.

Pasan corriendo por delante de las tiendas.

park[1] — el parque

Let's go and play in the park!

¡Vamos a jugar en el parque!

party — la fiesta

There are lots of guests at Ellie's party.

Hay muchos invitados en la fiesta de Ellie.

path — el sendero

This path goes to the village.

Este sendero va al pueblo.

park[2] — aparcar

Jan parks in a car park.

PARKING 6 PLAZAS

Jan aparca en un parking.

pass — pasar

They are passing the bank.

Están pasando por delante del banco.

Can you pass me the salt?

¿Me puedes pasar la sal?

paw — la zarpa

This is the tiger's paw.

Ésta es la zarpa del tigre.

parrot — el loro

There are some parrots that can talk.

Hay loros que saben hablar.

past[1] — el pasado

clothes from the past

ropa del pasado

pay — pagar

Ethan is paying for the apple.

Ethan paga la manzana.

pea to person

pea — el guisante

Peas are small, round vegetables.

Los guisantes son unas verduras pequeñas y redondas.

peach — el melocotón

This peach is delicious.

Este melocotón es riquísimo.

peak — (cap) la visera, (mountain) la cumbre

a cap with a peak

una gorra de visera

There is snow on the peak.
Hay nieve en la cumbre.

peanut — el cacahuete

a packet of salted peanuts

un paquete de cacahuetes salados

pear — la pera

a nice, sweet, green pear

una buena pera verde y dulce

pebble — el guijarro

There are lots of pebbles on the beach.

Hay muchos guijarros en la playa.

pen — la pluma

This is my new pen.

Ésta es mi pluma nueva.

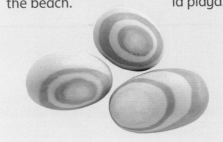

pencil — el lápiz

I am drawing in pencil.

Estoy dibujando con lápiz.

penguin — el pingüino

Penguins live in Antarctica.

Los pingüinos viven en el Antártico.

people — la gente

These people are waiting for the film to start.

La gente está esperando a que empiece la película.

pepper — (spice) la pimienta, (vegetable) el pimiento

a pepper mill

un molinillo de pimienta

red, green and yellow peppers

unos pimientos rojos, verdes y amarillos

person — la persona

There is only one person here.

Aquí solamente hay una persona.

a b c d e f g h i j k l m n o p q r s t u v w x y z

pet   la mascota

some pets

unas mascotas

pick   (choose) elegir, (flowers, fruit) recoger

Oliver has picked an apple and a cake.

Oliver ha elegido una manzana y un pastel.

I've picked some flowers.

He recogido unas flores.

pillow   la almohada

a big, soft pillow

una gran almohada blanda

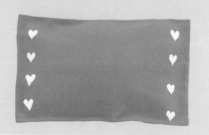

phone   el teléfono

a yellow phone

un teléfono amarillo

picnic   el picnic

Amy is having a picnic.

Amy está haciendo un picnic.

pilot   el piloto la piloto

Jim wants to be a pilot.

Jim quiere ser piloto.

photo   la fotografía

Polly is looking at some photos.

Polly está mirando unas fotografías.

picture   el cuadro

Shelley's painted a very nice picture.

Shelley ha hecho un cuadro muy bonito.

pineapple   la piña

A pineapple is a tropical fruit.

La piña es una fruta tropical.

piano   el piano

Polly has a little, pink piano.

Polly tiene un pequeño piano rosa.

piece   el pedazo, la pieza

a jigsaw with nine pieces

un rompecabezas de nueve piezas

pizza   la pizza

a vegetarian pizza

una pizza vegetariana

place to pocket

place   el sitio
a good place to have lunch

un buen sitio para la comida

planet   el planeta
a planet with rings

un planeta con anillos

playground
(school) **el patio de recreo,**
(park) **la zona de recreo**

the playground in the park

la zona de recreo en el parque

plan¹   el plano
a plan of the first floor

un plano del
primer piso

el dormitorio

la sala de estar

el baño

plant   la planta
a house plant

una planta de interior

please   por favor
Becky is saying please
can she have some
more strawberries.

¿Puedo tomar más fresas, por favor?

plan²   planear
Mrs. Dot is planning a party.

Fecha: el 22 de septiembre
Invitados:
Alex
Becky
Daisy
Stephanie

La señora
Dot está
planeando
una fiesta.

plate   el plato
My plate is clean.

Mi plato está limpio.

plum   la ciruela
a nice, ripe plum

una buena ciruela
madura

plane   el avión
The plane is landing.

El avión está aterrizando.

play   jugar,
         (music) **tocar**

Neil is playing football.

Neil está jugando
al fútbol.

Polly is playing
the piano.

Polly toca
el piano.

pocket   el bolsillo
Renata is putting her hands
in her pockets.

Renata mete las manos en
los bolsillos.

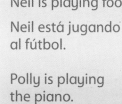

a b c d e f g h i j k l m n o p q r s t u v w x y z

poem to press

poem — el poema

Shelley has written a poem about her cat.

Shelley ha escrito un poema sobre su gato.

Mi gato
Anda sin ruido
y sale de excursión.
De vuelta en la casa
duerme en un sillón.

Se lava la cara
todos los días.

point¹ — (sharp) la punta, (score) el punto

the pencil point

la punta del lápiz

We're playing a game, and I already have forty points.

Estamos jugando y ya tengo cuarenta puntos.

point² — señalar

Polly is pointing to Jack's nose.

Polly está señalando la nariz de Jack.

police — la policía

Brian works for the police.

Brian trabaja en la policía.

police car — el coche de policía

There is no one in the police car.

No hay nadie en el coche de policía.

pond — la charca

There is a duck on the pond.

Hay un pato en la charca.

pony — el póney

a small pony

un póney pequeño

pool — la piscina

There's a children's pool in the park.

Hay una piscina infantil en el parque.

poor — pobre

rich people and poor people

los ricos y los pobres

Poor Ross, his tummy hurts.

Pobre Ross, le duele el la barriga.

potato — la patata

Potatoes grow underground.

Las patatas crecen bajo tierra.

present — el regalo

a surprise present for Polly

un regalo sorpresa para Polly

press — presionar

Danny is pressing down the blue paper with his hands.

Danny está presionando el papel azul con las manos.

pretend to puppet

pretend — fingir
Nicholas is pretending to be asleep.

Nicholas finge estar dormido.

princess — la princesa
a beautiful princess

una bella princesa

pull — tirar
Jack is pulling the parcel.

Thomas   Jack

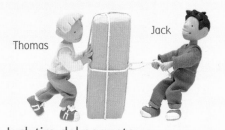

Jack tira del paquete.

pretty — bonito
Anya has a pretty red dress.

Anya lleva un bonito vestido rojo.

prize — el premio, (sports) el trofeo
Neil's team has won the prize.

El equipo de Neil ha ganado el trofeo.

pumpkin — la calabaza
A pumpkin is a large fruit.

La calabaza es un fruto grande.

price — el precio
The watermelons are two for the price of one.

2 por el precio de 1

promise — prometer
Minnie's dad is promising to take her to the park.

Prometo llevarte al parque.

pupil — el alumno la alumna
Mr. Levy and his pupils

el señor Levy y sus alumnos

prince — el príncipe
a brave prince

un príncipe valiente

puddle — el charco
Alex is jumping in the puddles.

Alex está saltando en los charcos.

puppet — el títere, la marioneta
This puppet has funny clothes.

Esta marioneta lleva una ropa muy graciosa.

a b c d e f g h i j k l m n o p q r s t u v w x y z

a b c d e f g h i j k l m n o p q r s t u v w x y z

puppy — el cachorro

The yellow dog has a very sweet puppy.

El perro amarillo tiene un cachorro muy mono.

quack — graznar

Ducks quack.

Los patos graznan.

¡Quac quac!

quick — rápido

Grace is very quick on her skateboard.

Grace va muy rápido en su monopatín.

push — empujar

Thomas is pushing the parcel.

Thomas — Jack

Thomas empuja el paquete.

quarter — el cuarto, la cuarta parte

quarter past three

las tres y cuarto

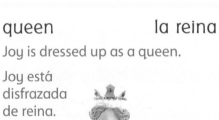

a quarter of the cake

la cuarta parte del pastel

quiet — (sound) suave, (silent) silencioso

Anna is so quiet that Milo doesn't hear her.

Anna es tan silenciosa que Milo no la oye.

put — (put down) poner, (inside something) meter

Oliver is putting the bottle on the table.

Oliver está poniendo la botella en la mesa.

queen — la reina

Joy is dressed up as a queen.

Joy está disfrazada de reina.

quite — (fairly) bastante, (completely) del todo

I'm quite tired.

Estoy bastante cansado.

Mr. Bun hasn't quite finished.

El señor Bun no ha terminado del todo.

puzzle — el rompecabezas

This isn't a difficult puzzle.

No es un rompecabezas difícil.

question — la pregunta

Polly has a question: what's the clown called?

¿Cómo te llamas?

Polly tiene una pregunta.

quiz — el cuestionario

This is a quiz about animals.

Éste es un cuestionario sobre animales.

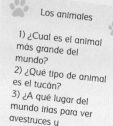

Los animales

1) ¿Cual es el animal más grande del mundo?

2) ¿Qué tipo de animal es el tucán?

3) ¿A qué lugar del mundo irias para ver avestruces y leopardos?

rabbit   el conejo

Rabbits have long ears.

Los conejos tienen las orejas largas.

rainbow   el arco iris

Look at the rainbow.

Mira el arco iris.

reach   alcanzar, (arrive) llegar

The firefighter can reach the cat.

El bombero puede alcanzar al gato.

The bus reaches the village at midday.

El autobús llega al pueblo a mediodía.

race   la carrera

Polly and Jack are having a race.

Polly y Jack echan una carrera.

raisin   la pasa

I need raisins to make a cake.

Necesito pasas para hacer un pastel.

read   leer

Tina is reading a book.

Tina está leyendo un libro.

radio   la radio

I'm listening to the radio.

Estoy escuchando la radio.

raspberry   la frambuesa

These raspberries come from my garden.

Estas frambuesas son de mi jardín.

ready   listo

The children are ready to go swimming.

Los niños están listos para nadar.

rain   la lluvia, (to rain) llover

Look, it's raining.

Mira, está lloviendo.

rat   la rata

Rats are like mice, but bigger.

Las ratas son como los ratones, pero más grandes.

real   verdadero, de verdad

This fruit isn't real, it's plastic.

Estas frutas no son de verdad, son de plástico.

a b c d e f g h i j k l m n o p q r s t u v w x y z

a b c d e f g h i j k l m n o p q r s t u v w x y z

recorder · la flauta

I'm learning to play the recorder at school.

Estoy aprendiendo a tocar la flauta en la escuela.

refrigerator · el frigorífico
(or fridge)

The refrigerator is full of food.

El frigorífico está lleno de comida.

remember · acordarse

Fiona can remember the date of her friend's birthday.

El día de tu cumpleaños es el 26 de mayo.

Fiona se acuerda del día del cumpleaños de su amiga.

reply · contestar

Minnie is replying to her dad.

¿Quieres ir al parque?

Sí, por favor.

Minnie contesta a su papá.

rescue · rescatar

Mr. Sparks has rescued the cat.

El señor Sparks ha rescatado al gato.

rhinoceros · el rinoceronte
(or rhino)

Rhinos live in hot countries.

Los rinocerontes viven en países calientes.

ribbon · la cinta

Becky has green ribbons.

Becky lleva unas cintas verdes.

rice · el arroz

I prefer rice to pasta.

Prefiero el arroz a la pasta.

rich · rico

Natalie is a very rich singer.

Natalie es una cantante muy rica.

ride

(bicycle) **ir en bicicleta**, (horse) **montar a caballo**

Martin can ride.

Martin sabe montar a caballo.

right · (not left) derecho, (not wrong) correcto

Greta has put the puppet on her right hand.

Greta se ha puesto el títere en la mano derecha.

That's the right answer.

Ésa es la respuesta correcta.

ring[1] · el anillo

a ring with a red stone

un anillo con una piedra roja

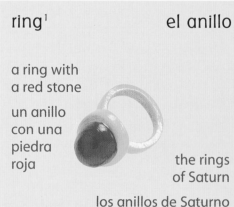

the rings of Saturn

los anillos de Saturno

ring²   sonar

The phone's ringing.

El teléfono suena.

rrrring rrrring!   *¡rinnh rinnh!*

ripe   maduro

The melon, the avocado and the watermelon are all ripe.

El melón, el aguacate y la sandía están maduros.

river   el río

The houses are near the river.

Las casas están cerca del río.

road   la carretera

The road goes into town.

La carretera va a la ciudad.

robot   el robot

a toy robot

un robot de juguete

rock   (stone) la roca, (music) el rock

There are rocks on the beach.

Hay unas rocas en la playa.

rocket   el cohete

a toy rocket

un cohete de juguete

roof   el tejado

The roof of this building is blue.

El tejado de este edificio es azul.

room   (space) el sitio, (in house) la habitación

On this plan, there are six rooms.

En este plano, hay seis habitaciones.

Is there some room for me?

¿Hay sitio para mí?

rope   la cuerda

Jack needs a rope to pull the parcel.

Jack necesita una cuerda para tirar del paquete.

rose   la rosa

Roses are my favourite flowers.

Las rosas son mis flores preferidas.

round   redondo

In general, drums are round.

En general, los tambores son redondos.

a b c d e f g h i j k l m n o p q r s t u v w x y z

a b c d e f g h i j k l m n o p q r s t u v w x y z

rug — la alfombra

a red, yellow and blue rug

una alfombra roja, amarilla y azul

sad — triste

Liddy is sad without her mummy.

Liddy está triste sin su mamá.

salad — la ensalada

a mixed salad

una ensalada mixta

ruler — la regla

A ruler is useful for drawing straight lines.

Una regla es útil para dibujar líneas rectas.

saddle — la silla (de montar)

Martin's horse has a new saddle.

El caballo de Martin tiene una silla nueva.

salami — el salchichón

This is Italian salami.

Éste es un salchichón italiano.

run — correr

Polly and Jack are running.

Polly y Jack están corriendo.

safe — seguro

a safe place to cross the street

un sitio seguro para cruzar la calle

salt — la sal

There is salt on the table.

Hay sal en la mesa.

rush — precipitarse, (correr) a toda prisa

They are rushing after Pip.

Corren a toda prisa detrás de Pip.

sailor — el marinero

Gareth is dressed up as a sailor.

Gareth está disfrazado de marinero.

same — mismo, misma, mismos, mismas

The twins always wear the same colours.

Los gemelos llevan siempre los mismos colores.

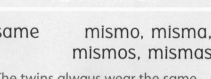

sand to scooter

sand   la arena

The children are playing
in the sand.

Los niños están jugando
en la arena.

sandal   la sandalia

Where is the other sandal?

¿Dónde está la
otra sandalia?

sandwich   el bocadillo

a cheese sandwich

un bocadillo de queso

saucer   el platillo

a cup and saucer

una taza y un platillo

sausage   la salchicha

There are meat sausages
and vegetarian sausages.

Hay salchichas
de carne y salchichas
vegetarianas.

save   (from danger) salvar, (time or money) ahorrar

Mr. Sparks has saved the cat.

El señor Sparks ha
salvado al gato.

Jack is saving
money in this
moneybox.

Jack ahorra dinero en esta hucha.

saw   la sierra

I have a saw for cutting wood.

Tengo una sierra para
cortar madera.

say   decir

Yvonne is saying, "Sleep well,
my darling."

Duerme
bien, cariño
mío.

Yvonne dice:
"Duerme bien,
cariño mío".

scarf   la bufanda

I've made
this scarf.

He hecho esta
bufanda.

school   la escuela, el colegio

There are lots
of children at
this school.

Hay muchos niños en
esta escuela.

scissors   las tijeras

These are safety scissors.

Éstas son tijeras de
seguridad.

scooter   el patinete, (with motor) la moto

Shaun has a
green scooter.

Shaun
tiene un
patinete
verde.

a b c d e f g h i j k l m n o p q r s t u v w x y z

sea — el mar

The sea is calm today.

El mar está en calma hoy.

seal — la foca

Seals live by the sea.

Las focas viven a
la orilla del mar.

search — buscar

They are searching for their friend.

Están buscando a su amigo.

seat — (chair) la silla, (place to sit) la plaza

There are three seats free.

Hay tres plazas libres.

secret — el secreto

Amy is telling Anna a secret.

Amy está contando un secreto a Anna.

see — ver

Annie can't see the clown.

Annie no ve
al payaso.

I'm going
to see my
grandparents.

Voy a ver a mis
abuelos.

sell — vender

Mrs. Hussain is
selling Ethan
an apple.

La señora
Hussain vende
una manzana
a Ethan.

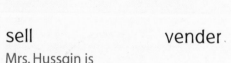

send — enviar

Jack is sending a letter
to his friend.

Jack envía una carta a su amigo.

sentence — la frase

This is a complete sentence.

My dad plays tennis.

Mi papá juega al tenis.

Ésta es una frase completa.

sew — coser

Robert is sewing his shirt.

Robert está
cosiendo
su camisa.

shadow — la sombra

Look at Robert's
shadow!

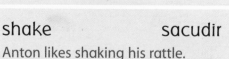

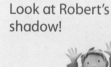

¡Mira la
sombra
de Robert!

shake — sacudir

Anton likes shaking his rattle.

A Anton
le gusta sacudir su sonajero.

shallow to shoe

shallow   poco profundo

The children's pool is shallow.

La piscina infantil es poco profunda.

sharp   afilado

Mind the sharp edge!

¡Cuidado con el borde afilado!

This is a sharp pencil.

Éste es un lápiz afilado.

shell   (sea) la concha, (eggs, nuts) la cáscara

I have a shell collection.

Tengo una colección de conchas.

an eggshell

una cáscara de huevo

shampoo   el champú

Will you lend me some shampoo?

¿Me prestas un poco de champú?

sheep   la oveja

Wool comes from sheep.

La lana proviene de las ovejas.

ship   el barco

There are lots of people on this ship.

Hay mucha gente en este barco.

share   compartir

Bill is sharing his cherries with Ben.

Bill está compartiendo sus cerezas con Ben.

sheet   (on bed) la sábana, (of paper) la hoja

a clean sheet

una sábana limpia

a sheet of writing paper

una hoja de papel de escribir

shirt   la camisa

Milo has a checked shirt.

Milo tiene una camisa a cuadros.

shark   el tiburón

This shark lives in tropical seas.

Este tiburón vive en los mares tropicales.

shelf   el estante

Sam's things are on the shelf.

Las cosas de Sam están en el estante.

shoe   el zapato

These are Robert's new shoes.

Éstos son los zapatos nuevos de Robert.

a
b
c
d
e
f
g
h
i
j
k
l
m
n
o
p
q
r
s
t
u
v
w
x
y
z

a
b
c
d
e
f
g
h
i
j
k
l
m
n
o
p
q
r
s
t
u
v
w
x
y
z

short · corto

Maisie has short hair.

Maisie tiene el pelo corto.

show · mostrar, enseñar

Jack is showing Thomas his hands.

Jack está mostrando sus manos a Thomas.

Show me what to do.

Enséñame lo que hay que hacer.

side · (edge, face) el lado, (team) el equipo

I write on both sides of the paper.

Escribo en ambos lados del papel.

He's on the other side.

Está en el equipo contrario.

shorts · el pantalón corto

brightly coloured shorts

un pantalón corto de colores fuertes

shower · (rain) el chubasco, (for washing) la ducha

Robert is having a shower.

Robert se da una ducha.

sun and showers

sol y chubascos

sign¹ · (symbol) el símbolo, (road) la señal

This sign means "no buses".

Esta señal quiere decir "prohibidos los autobuses".

@ is the sign for "at".

@ es el símbolo de "arroba".

shoulder · el hombro

This is Jack's shoulder.

Éste es el hombro de Jack.

shrink · encoger

Wool clothes sometimes shrink in hot water.

La ropa de lana encoge a veces al agua caliente.

sign² · firmar

The paper says "Sign here please".

Firma aquí, por favor.

shout · gritar

Jack is shouting, "Stop, Pip!"

¡PÁRATE, PIP!

Jack está gritando: "¡Párate, Pip!".

shut · cerrar

Danny is shutting the door.

Danny está cerrando la puerta.

since · desde

They've been waiting since midday.

Llevan esperando desde el mediodía.

sing to sleeve

sing — cantar

Molly can sing very well.

Molly canta muy bien.

sink[1] (kitchen) el fregadero, (bathroom) el lavabo

The sink is empty.

El lavabo está vacío.

sink[2] — hundirse

Billy's boat is sinking.

El barco de Billy se está hundiendo.

sit (sit down) sentarse, (be sitting) estar sentado

Sally is sitting on a blue stool.

Sally está sentada en un taburete azul.

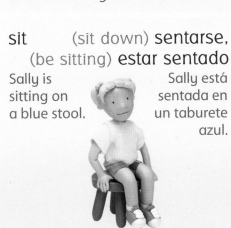

size — la talla

This T-shirt is the right size for Zoe.

Esta camiseta es de la talla correcta para Zoe.

skate — patinar

Gemma is skating.

Gemma está patinando.

ski — esquiar

Eric skis every day in winter.

Eric esquía todos los días en invierno.

skin — la piel

smooth skin

la piel suave

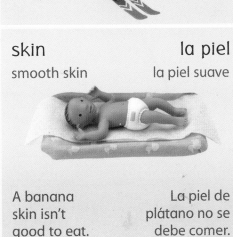

A banana skin isn't good to eat.

La piel de plátano no se debe comer.

skirt — la falda

This skirt has four red buttons.

La falda tiene cuatro botones rojos.

sky — el cielo

There's a plane in the sky.

Hay un avión en el cielo.

sleep — dormir

Hush! Adam is sleeping.

¡Silencio! Adam está durmiendo.

sleeve — la manga

Robert is wearing a yellow shirt with blue sleeves.

Robert lleva una camisa amarilla con mangas azules.

slice to smooth

slice (portion) el trozo, (meat, cheese) la loncha

a slice of cake

un trozo de pastel

a slice of salami

una loncha de salchichón

slipper la zapatilla

Polly has pink, bunny-shaped slippers.

Polly tiene unas zapatillas rosas en forma de conejo.

small pequeño

Leila is a small girl.

Leila es una niña pequeña.

slide[1] el tobogán

Sacha and Suki love going on the slide.

A Sacha y a Suki les encanta bajar por el tobogán.

slow lento

This is a slow, old train.

Éste es un tren viejo y lento.

smell oler

Let me smell the flowers.

Déjame oler las flores.

This cat smells bad.

Este gato huele mal.

slide[2] deslizarse

Denise is sliding down first.

Denise se desliza la primera.

slowly despacio

Please speak more slowly!

¡Hable más despacio por favor!

Sally is going slowly.

Sally va despacio.

smile sonreír

Jack is smiling.

Jack está sonriendo.

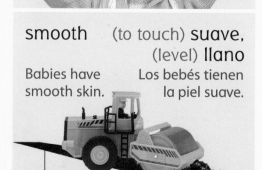

slip resbalar

Anna has slipped on the banana skin.

Anna ha resbalado en la piel de plátano.

slug la babosa

There are slugs in the garden.

Hay babosas en el jardín.

smooth (to touch) suave, (level) llano

Babies have smooth skin.

Los bebés tienen la piel suave.

The road is smooth here.

La carretera está llana aquí.

snail to soon

snail — el caracol
A snail is like a slug with a shell.

El caracol es como una babosa con una concha.

soccer — el fútbol
(or football)

Neil plays soccer every Saturday.

Neil juega al fútbol todos los sábados.

soil — la tierra
It's good soil for my plant.

Es buena tierra para mi planta.

snake — la serpiente
There's a snake in the tree.

Hay una serpiente en el árbol.

sock — el calcetín
Luke has stripy socks.

Luke lleva unos calcetines a rayas.

soldier — el soldado
Tony is dressed up as a soldier.

Tony está disfrazado de soldado.

snow — la nieve, (to snow) nevar
They're playing in the snow.

Están jugando en la nieve.

sofa — el sofá
Alexa is reading on the sofa.

Alexa está leyendo en el sofá.

song — la canción
Natalie is singing a song.

boom ba ba, boom ba ba

Natalie canta una canción.

soap — el jabón
My soap is pink.

Mi jabón es rosa.

soft — suave
The white kitten has soft fur.

El gatito blanco tiene el pelo suave.

soon — pronto
It will soon be two o'clock.

Pronto serán las dos.

a b c d e f g h i j k l m n o p q r s t u v w x y z

sort to spill

a b c d e f g h i j k l m n o p q r s t u v w x y z

sort — la clase, el tipo

different sorts of food

varios tipos de comida

sound — el ruido

That funny sound is the parrot.

Hello! ¡Hola!

Ese ruido tan raro lo hace el loro.

soup — la sopa

a tin of vegetable soup

una lata de sopa de verduras

space — (place) el sitio, (room or stars) el espacio

There are two free spaces.

Hay dos sitios libres.

Astronauts travel into space.

Los astronautas viajan al espacio.

spacecraft — la nave espacial

A rocket is a spacecraft.

Un cohete es una nave espacial.

speak — hablar

Mrs. Rose is speaking to her friend.

La señora Rose habla con su amiga.

¡Hola!

¿Qué tal?

special — especial

a special day

un día especial

Electricians need special tools.

Los electricistas necesitan herramientas especiales.

spell[1] — el hechizo

a witch's spell

un hechizo de bruja

spell[2] — deletrear

Oliver can spell his first name.

Oliver sabe deletrear su nombre.

Oliver

spend — (money) gastar, (time) pasar

Danny spends his pocket money on toys.

Danny gasta la paga en juguetes.

spider — la araña

Maddy hates spiders, but I don't mind them.

Maddy odia las arañas, pero a mí no me molestan.

spill — derramar

The cat has spilt the mustard.

El gato ha derramado la mostaza.

spinach to star

spinach — las espinacas

Spinach is a leafy vegetable.

Las espinacas son verduras con muchas hojas.

sport — el deporte

They all enjoy doing sport.

A todos les gusta hacer deporte.

stairs — la escalera

There's a red carpet on the stairs.

Hay una alfombra roja en la escalera.

splash — salpicar

Polly is splashing water everywhere.

Polly salpica agua por todas partes.

spot[1] — la mancha

This dog has black spots.

Este perro tiene manchas negras.

I have a spot on my shirt.

Tengo una mancha en la camisa.

stamp — el sello

This letter has a stamp.

Esta carta lleva un sello.

sponge — la esponja

a bath sponge

una esponja de baño

spot[2] — descubrir

I've spotted a clown.

He descubierto un payaso.

stand — (stand up) levantarse, (be standing) estar de pie

Alex is standing.

Alex está de pie.

spoon — la cuchara

I need a spoon to eat my soup.

Necesito una cuchara para tomar la sopa.

squirrel — la ardilla

There are red squirrels and grey squirrels.

Hay ardillas rojas y ardillas grises.

star — la estrella

The stars are shining.

Las estrellas están brillando.

Natalie, the singer, is a big star.

Natalie, la cantante, es una gran estrella.

a b c d e f g h i j k l m n o p q r s t u v w x y z

start — empezar

The birds are starting to eat the seeds.

Los pájaros empiezan a comer las semillas.

station — la estación

There are two trains in the station.

Hay dos trenes en la estación.

stay — quedarse, (visit) alojarse

The cows stay in the field.

Las vacas se quedan en el campo.

He's staying at our house.

Se aloja en nuestra casa.

steep — empinado

It's a steep path.

Es un sendero empinado.

stick[1] — el palo, (twig) la ramita

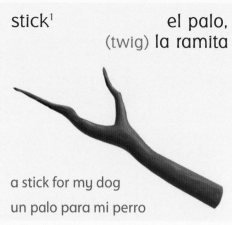

a stick for my dog

un palo para mi perro

stick[2] — pegar

Polly is sticking her drawing to the wall.

Polly está pegando su dibujo en la pared.

still[1] — (calm) quieto, (not moving at all) inmóvil

Milo is staying still.

Milo se queda quieto.

The car is standing still.

El coche está immóvil.

still[2] — todavía

Oliver is still hungry.

Oliver todavía tiene hambre.

He still has some apples left.

Todavía le quedan manzanas.

sting — picar

Amy is afraid that the bee will sting her.

Amy tiene miedo de que la abeja la pique.

stir — remover

Jack is stirring the mixture.

Jack está removiendo la mezcla.

stone — (rock) la piedra, (in fruit) el hueso

stones from the garden

unas piedras del jardín

a peach stone

un hueso de melocotón

stool — el taburete

a small, blue stool

un pequeño taburete azul

stop — parar, (yourself) pararse

Jan is stopping at the barrier.

Jan se para ante la barrera.

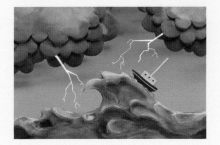

The police are stopping the cars.
La policía está parando los coches.

storm — la tempestad

a storm at sea — una tempestad en el mar

story — el cuento

Polly is writing a story.

Polly está escribiendo un cuento.

El anillo mágico
por Polly Dot
* * * * *
Érase una vez una bellísima princesa que vivía en un magnífico castillo rodeado de un bosque encantado.

Un día,

straight — (line) recto, (hair) liso

Leslie has straight hair.

Leslie tiene el pelo liso.

a straight path
un sendero recto

strawberry — la fresa

Strawberries are my favourite fruit.

Las fresas son mi fruta preferida.

street — la calle

There are shops in this street.

En esta calle hay tiendas.

string — la cuerda

Can you lend me some string?

¿Me prestas un poco de cuerda?

strong — fuerte, (solid) robusto

strong coffee

café fuerte

The stool isn't very strong.

El taburete no es muy robusto.

study¹ — el despacho

Mum's study

el despacho de mamá

study² — estudiar

Sara is studying the Romans.

Sara está estudiando los romanos.

suddenly — de repente

Suddenly Asha drops the vase.

De repente, Asha deja caer el florero.

sugar — el azúcar

I need sugar to make a cake.

Necesito azúcar para hacer un pastel.

a b c d e f g h i j k l m n o p q r s t u v w x y z

a b c d e f g h i j k l m n o p q r s t u v w x y z

suitcase — la maleta

This is Mr. Brand's suitcase.

Ésta es la maleta del señor Brand.

sunglasses — las gafas de sol

Polly has pink sunglasses with blue flowers.

Polly tiene unas gafas de sol de color rosa con flores azules.

swan — el cisne

There's a swan on the river.

Hay un cisne en el río.

sum — la suma

I can do these sums.

Sé hacer estas sumas.

$$8 + 2 =$$
$$4 + 2 =$$
$$10 + 4 =$$

supermarket — el supermercado

Dad is at the supermarket.

Papa está en el supermercado.

sweep — barrer

Anna is sweeping the kitchen.

Anna está barriendo la cocina.

sun — el sol

The sun is shining today.

Hoy brilla el sol.

sure — seguro

Dad is sure they've bought everything.

Papá está seguro de que lo han comprado todo.

sweet — (taste) dulce, (cute) mono

This kitten is very sweet.

Este gatito es muy mono.

The cake is very sweet.

El pastel está muy dulce.

sunflower — el girasol

Aggie has some nice sunflowers.

Aggie tiene unos girasoles bonitos.

surprise — la sorpresa

What a surprise!

¡Qué sorpresa!

BOO!
¡BUU!

swim — nadar

Pete can swim very well.

Pete nada muy bien.

swimming pool   la piscina

There are two children in the swimming pool.

Hay dos niños en la piscina.

swimsuit   el traje de baño

Minnie has a stripy swimsuit.

Minnie lleva un traje de baño a rayas.

swing¹   el columpio

Let's play on the swings!

¡Vamos a jugar en los columpios!

swing²   columpiarse

The girls are swinging.

Las niñas se están columpiando.

table   la mesa

a wooden table

una mesa de madera

tail   la cola

This dog has a long tail.

Este perro tiene la cola larga.

take   llevar, (steal) llevarse

Amy's taking sand in her wagon.

Amy lleva arena en el remolque.

Someone's taken my flowers.

Alguien se ha llevado mis flores.

talk   hablar

The ladies are talking.

Las señoras están hablando.

tall   alto

A giraffe is a very tall animal.

La jirafa es un animal muy alto.

taste   probar

Ethan is tasting his ice cream.

Ethan está probando su helado.

taxi   el taxi

a yellow taxi

un taxi amarillo

TAXI

TAXI

tea   el té, (meal) la merienda

a tea bag   una bolsita de té

Jenny's going to Ethan's house to have tea.

Jenny va a casa de Ethan a tomar la merienda.

teacher

(of juniors) **el maestro, la maestra,** (of seniors) **el profesor, la profesora**

Our teacher is Mr. Levy.

Nuestro maestro es el señor Levy.

television   la televisión

There's nothing on television this evening.

No hay nada en la televisión esta tarde.

thin   (line) fino, (person, animal) delgado

thin string

cuerda fina

a thin cat

un gato delgado

team   el equipo

This is Neil's team.

Éste es el equipo de Neil.

tell   (explain) contar, (give instruction) decir

Mrs. Beef is telling them the story.

La señora Beef les cuenta la historia.

Tell Dad to call me.

Di a papá que me llame.

thing   la cosa

Tina still has some things to do.

Tina todavía tiene cosas que hacer.

teddy bear   el osito

This teddy bear has a red scarf.

Este osito lleva una bufanda roja.

tent   la tienda

Jack has a little, yellow tent.

Jack tiene una pequeña tienda amarilla.

think   (believe) creer, (consider) pensar

I think he is ready.

Creo que está listo.

Maddy thinks spiders are horrible.

Maddy piensa que las arañas son horribles.

telephone   el teléfono

Where is the telephone, please?

¿Dónde está el teléfono, por favor?

thank   dar las gracias

Polly is thanking Marco for her present.

Polly está dando las gracias a Marco por su regalo.

Muchas gracias

(to be) thirsty   tener sed

Polly is very thirsty.

Polly tiene mucha sed.

through   por, a través

Mr. Bun is going out through the front door.

El señor Bun sale por la puerta de entrada.

tie   atar

Someone has tied the ribbons.

Alguien ha atado las cintas.

tip   la punta

The tip of the fox's tail is white.

La punta de la cola del zorro es blanca.

throw   echar, tirar

Anna is throwing the ball to Jack.

Anna tira la pelota a Jack.

tiger   el tigre

Tigers live in Asia.

Los tigres viven en Asia.

toast   el pan tostado

The toast is ready.

El pan tostado está listo.

thumb   el pulgar

This is Polly's thumb.

Éste es el pulgar de Polly.

time   (on a clock) la hora, (time taken) el tiempo

What time is it?   ¿Qué hora es?

The journey doesn't take much time.

El viaje no lleva mucho tiempo.

toddler   el niño pequeño

Joshua is still a toddler.

Joshua todovía es un niño pequeño.

ticket   el billete

I've already bought my ticket.

Ya he comprado mi billete.

tiny   minúsculo

a small cat and a tiny cat

un gato pequeño y un gato minúsculo

toe   el dedo del pie

Toes are at the end of feet.

Los dedos del pie están en la punta de los pies.

a b c d e f g h i j k l m n o p q r s t u v w x y z

together — junto

Jenny and Ethan are playing together.

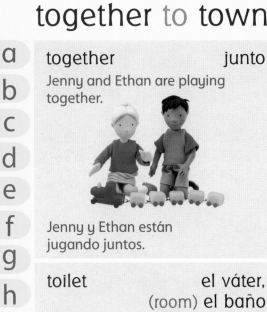

Jenny y Ethan están jugando juntos.

tonight — esta noche

She's going to the theatre tonight.

Voy al teatro esta noche.

top — la parte superior, (on top) encima

The kitten is on top of the desk.

El gatito está encima de la mesa de trabajo.

toilet — el váter, (room) el baño

Where is the toilet please?

¿Dónde está el baño, por favor?

tooth — el diente

Zach is showing his teeth.

Zach muestra los dientes.

touch — tocar

The label says "Do not touch."

No tocar

I can touch my toes.

Puedo tocarme los dedos de los pies.

tomato — el tomate

a nice, ripe tomato — un buen tomate maduro

toothbrush — el cepillo de dientes

This is Zach's toothbrush.

Éste es el cepillo de dientes de Zach.

towel — la toalla

Anna has a big, blue towel. — Anna tiene una gran toalla azul.

tongue — la lengua

Luke is sticking his tongue out.

Luke está sacando la lengua.

toothpaste — el dentífrico, la pasta de dientes

mint flavour toothpaste

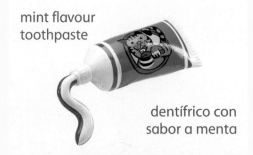

dentífrico con sabor a menta

town — la ciudad

This is the town centre. — Éste es el centro de la ciudad.

toy to twin

toy   **el juguete**

Joshua has lots of toys.

Joshua tiene muchos juguetes.

truck   **el camión**

a big, green truck

un gran camión verde

turkey   **el pavo**

A turkey is an American bird.

El pavo es un ave de América.

tractor   **el tractor**

The farmer has a red tractor.

El granjero tiene un tractor rojo.

true   **verdadero**

True or false?

¿VERDADERO O FALSO?
* * * * *
1. El ocelote es un tipo de planta.
2. Los pingüinos no saben volar.

It's a true story.

Es una historia verdadera.

turn   **torcer, girar**

Jan's turning left.

Jan tuerce a la izquierda.

The roundabout's turning.

El carrusel gira.

train   **el tren**

Mr. Brand is travelling by train.

El señor Brand viaja en tren.

try   **intentar, (test) probar, probarse**

They are trying to move the parcel.

Están intentando mover el paquete.

Can I try this T-shirt?

¿Puedo probarme esta camiseta?

TV   **la tele**

Steve, Marco and Molly are on TV.

Steve, Marco y Molly salen en la tele.

tree   **el árbol**

There are lots of trees in the park.

Hay muchos árboles en el parque.

T-shirt   **la camiseta**

Ash has a red and yellow T-shirt.

Ash tiene una camiseta roja y amarilla.

twin   **el gemelo la gemela**

Bill and Ben are twins.

Bill y Ben son gemelos.

a b c d e f g h i j k l m n o p q r s t u v w x y z

a b c d e f g h i j k l m n o p q r s t u v w x y z

ugly — feo
This fish is ugly.

Este pez es feo.

undress — desnudarse
Luke is undressing.

Luke se está desnudando.

upside down — al revés
The picture is upside down.

El cuadro está al revés.

umbrella — el paraguas
Robert has a big umbrella.

Robert tiene un gran paraguas.

unhappy — infeliz
Liddy feels very unhappy.

Liddy se siente muy infeliz.

use — usar
Mr. Clack is using a saw.

El señor Clack está usando una sierra.

under — debajo
The kitten is hiding under the planks.

El gatito se esconde debajo de las tablas.

upright — derecho
Tony is standing upright.

Tony está derecho.

useful — útil
A wheelbarrow is useful in the garden.

Una carretilla es útil en el jardín.

understand — entender
I don't understand what Ben is saying.

No entiendo lo que dice Ben.

ta-ta iuh!

upset — digustado
Mrs. Beef is upset.

La señora Beef está disgustada.

usually — normalmente
Sara usually cycles to school.

Normalmente, Sara va a la escuela en bicicleta.

Vv
vacuum cleaner to voice

Ww
wait to wake

vacuum cleaner
la aspiradora
Can you lend me the vacuum cleaner?

¿Me prestas la aspiradora?

vase   el florero
an orange vase with purple flowers

un florero de color naranja con flores moradas

vegetable   la verdura
different vegetables

varias verduras

very   muy
Flora is dirty and Sally is very dirty.

Flora está sucia y Sally está muy sucia.

view   la vista
a nice view of the country

una bonita vista del campo

visit   visitar
The children are visiting the museum.

Los niños visitan el museo.

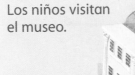

visitor   el invitado
la invitada
The visitors are arriving.

Los invitados están llegando.

voice   la voz
Molly has a lovely voice.

Molly tiene buena voz.

¡Laaaaaa!

wait   esperar
They are waiting for the bus.

Están esperando el autobús.

waiter   el camarero
The waiter is bringing a cup of tea.

El camarero trae un té.

waitress   la camarera
The waitress is bringing two cups of coffee.

La camarera trae dos cafés.

wake (someone) despertar,
(wake up) despertarse
Sam is waking up.

Sam se está despertando.

a
b
c
d
e
f
g
h
i
j
k
l
m
n
o
p
q
r
s
t
u
v
w
x
y
z

walk andar, (go on foot) ir a pie

Danny is walking fast.

Danny anda deprisa.

He walks to school.

Va a la escuela a pie.

wall el muro, (of room) la pared

The hens are on a stone wall.

Las gallinas están en un muro de piedra.

want querer

Jenny wants some more wagons.

Jenny quiere unos vagones más.

warm cálido, (liquid) templado

Renata has a warm coat.

Renata lleva un abrigo cálido.

wash lavar, (yourself) lavarse

Jack is washing.

Jack se está lavando.

washing machine la lavadora

a new washing machine

una lavadora nueva

watch¹ el reloj (de pulsera)

Polly has a new watch as a birthday present.

Polly tiene un reloj nuevo como regalo de cumpleaños.

watch² mirar

They are all watching the clown.

Están todos mirando al payaso.

water el agua (f)

Becky is playing in the warm water.

Becky está jugando en el agua templada.

wave¹ la ola

a big wave

una ola grande

wave² saludar

Polly is waving to her friends.

Polly está saludando a sus amigos.

way (route) el camino, (method) el modo

the way to the village

el camino del pueblo

a way of cooking eggs

un modo de cocinar los huevos

wear to win

wear — llevar

Miriam is wearing a red suit.

Miriam lleva un traje rojo.

well — bien

How are you?
I'm very well, thank you.

¿Qué tal?
Muy bien, gracias.

Sara reads very well.

Sara lee muy bien.

while — mientras

While his parents are chatting, Jack is eating a cake.

Mientras sus padres charlan, Jack está comiendo un pastel.

weather — el tiempo

winter weather

tiempo invernal

wet — mojado, (soaking) empapado

Jem the plumber has got wet.

Jem, el fontanero, se ha empapado.

wide — ancho

The sofa is quite wide.

El sofá es bastante ancho.

web — (spider's) la telaraña, (World Wide Web) la Web

a spider's web — una telaraña

a website — un sitio web

whale — la ballena, (killer whale) la orca

Killer whales swim very fast.

Las orcas nadan muy rápido.

wild — salvaje

wild animals

unos animales salvajes

week — la semana

the days of the week

los días de la semana

lunes
martes
miércoles
jueves
viernes
sábado
domingo

wheel — la rueda

a big truck wheel

una gran rueda de camión

win — ganar

The pink cake has won first prize.

El pastel rosa ha ganado el primer premio.

a b c d e f g h i j k l m n o p q r s t u v w x y z

wind to wrong

wind · el viento

a windy day

un día de viento

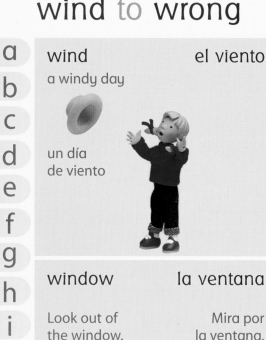

window · la ventana

Look out of the window.

Mira por la ventana.

wish · el deseo

The fairy can grant three wishes.

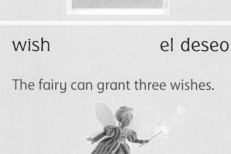

El hada concede tres deseos.

witch · la bruja

There are witches in fairy tales.

Hay brujas en los cuentos de hadas.

with · con

Ben sleeps with his teddy bear.

Ben duerme con su osito.

a bird with blue feet

un pájaro con las patas azules

woman · la mujer

This woman is a gardener.

Esta mujer es jardinera.

wood · la madera, (trees) el bosque

This table is made of wood.

Esta mesa es de madera.

There is a wood beside the lake.

Hay un bosque a la orilla del lago.

word · la palabra

a list of words

una lista de palabras

arriba
brillante
dirección
leer

work · (do a job) trabajar, (function) funcionar

Mick works all day.

Mick trabaja todo el día.

This computer doesn't work.

Este ordenador no funciona.

world · el mundo

all the countries in the world

todos los países del mundo

write · escribir

Oliver is writing his first name.

Oliver está escribiendo su nombre.

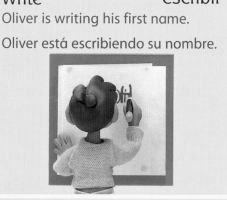

wrong · equivocado

the wrong answers

$2 + 3 = 7$ ✗
$4 + 6 = 9$ ✗
$5 - 3 = 4$ ✗

las respuestas equivocadas

Xx x to xylophone

x   (kiss) **un beso**
(in sums) **x**

Love Olivia xxx
Besos, Olivia

$$2 \times 2 = 4$$

(two times two equals four)
(dos por dos son cuatro)

Xmas   Navidad (f)

Happy
Xmas!   ¡Feliz
Navidad!

x-ray   el rayo-x,
(photo) **la radiografía**

The x-ray
shows
Robert's
skeleton.   La radiografía
muestra el
esqueleto
de Robert.

xylophone   el xilófono

This xylophone has six notes.
Este xilófono tiene seis notas.

Yy yawn to young

yawn   bostezar

Sam's yawning.

Sam está bostezando.

year   el año

Flora is five years old,
Annie is a year older.

Flora tiene
cinco años.
Annie tiene
un año más.

the days
of the year

los días del año

yet   todavía

Ben can't
walk yet.

Ben
todovía
no sabe
andar.

young   joven,
pequeño

young children
niños pequeños

Zz zebra to zoo

zebra   la cebra

Zebras live
in Africa.   Las cebras
viven en África.

zero   cero

Five take away five equals zero.

$$5 - 5 = 0$$

Cinco menos cinco son cero.

zip   la cremallera

The zip is half open.

La cremallera está
medio abierta.

zoo   el zoo

There's a
panda at
the zoo.   Hay un
panda en
el zoo.

a b c d e f g h i j k l m n o p q r s t u v w x y z

Colours   Los colores

pink
rosa*

red
rojo

white
blanco

yellow
amarillo

green
verde

brown
marrón

black
negro

purple
morado

orange
naranja*

grey
gris

blue
azul

Shapes   Las formas

star
la estrella

circle
el círculo

rectangle
el rectángulo

heart
el corazón

triangle
el triángulo

crescent
la medialuna

oval
el óvalo

square
el cuadrado

* These colours end in –a whether they follow a masculine or a feminine noun.

Numbers   Los números

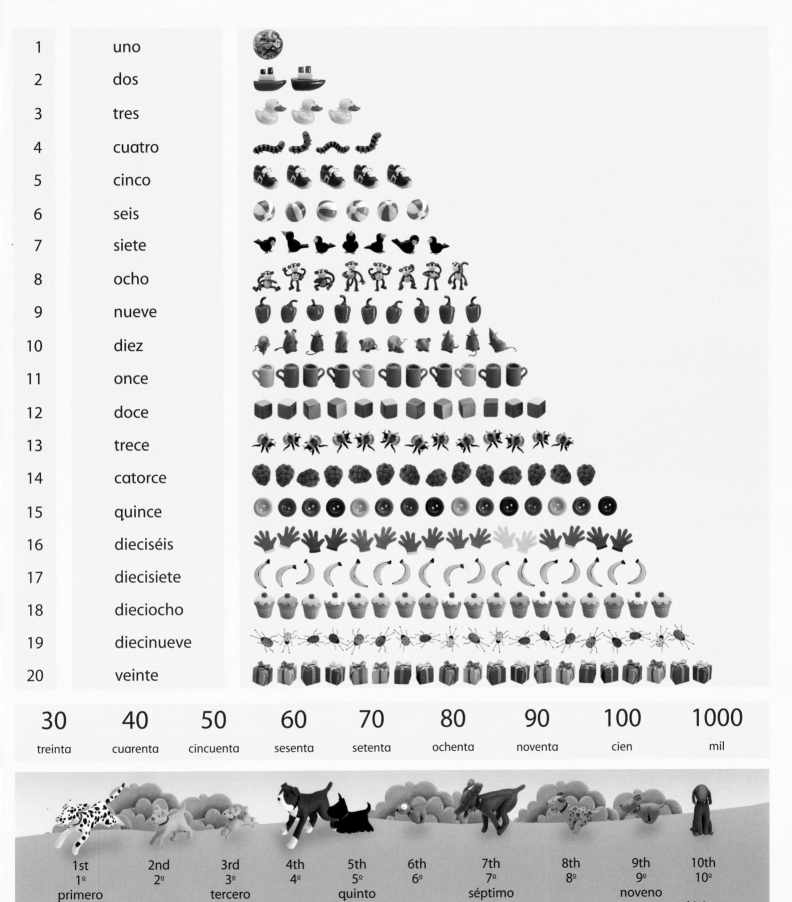

1	uno
2	dos
3	tres
4	cuatro
5	cinco
6	seis
7	siete
8	ocho
9	nueve
10	diez
11	once
12	doce
13	trece
14	catorce
15	quince
16	dieciséis
17	diecisiete
18	dieciocho
19	diecinueve
20	veinte

30	40	50	60	70	80	90	100	1000
treinta	cuarenta	cincuenta	sesenta	setenta	ochenta	noventa	cien	mil

| 1st 1º primero | 2nd 2º segundo | 3rd 3º tercero | 4th 4º cuarto | 5th 5º quinto | 6th 6º sexto | 7th 7º séptimo | 8th 8º octavo | 9th 9º noveno | 10th 10º décimo |

Days of the week

Los días de la semana

Monday	Tuesday	Wednesday	Thursday	Friday	Saturday	Sunday
lunes	martes	miércoles	jueves	viernes	sábado	domingo

Months of the year

Los mese del año

January
enero

February
febrero

March
marzo

April
abril

May
mayo

June
junio

July
julio

August
agosto

September
septiembre

October
octubre

November
noviembre

December
diciembre

Polly's birthday
is in January.

El cumpleaños de
Polly es en enero.

Seasons

Las estaciones

Spring
la primavera

Summer
el verano

Autumn
el otoño

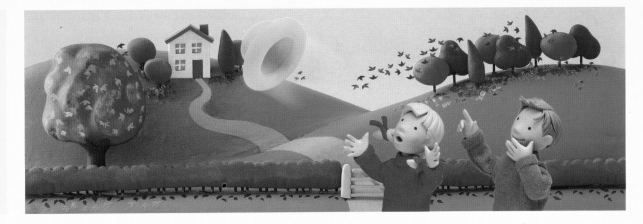

Winter
el invierno

Family words

Simon's photo album
el álbum de fotos de Simon

Simon y Carla

brother, sister
el hermano, la hermana

El bebé Simon

baby
el bebé

Mamá y papá

mother — **la madre**

father — **el padre**

Mum — **mamá**

Dad — **papá**

Carla, mamá, papá y Simon

daughter — **la hija**

son — **el hijo**

Abuelo, abuela, Carla, Simon

grandfather — **el abuelo**

grandmother — **la abuela**

Grandpa — **abuelo**

Grandma — **abuela**

Papá y Paul

Dad and his brother
Papá y su hermano

* boy cousin would be **el primo**.

La familia de Paul

uncle — **el tío**

aunt — **la tía**

(girl) cousin
la prima*

Abuela, abuelo, Simon, Carla, mamá y papá

grandparents
los abuelos

parents
los padres

grandchildren
los nietos

children
los hijos

Words we use a lot

On these pages you'll find some words that are useful for making sentences, and are used in sentences in the dictionary. Remember that in Spanish some words can change, depending on whether the word that follows is masculine or feminine, singular or plural (see page 94).

about	(story) sobre, (more or less) alrededor de
across	a través
again	otra vez
almost	casi
also	además
always	siempre
and	y
another	otro, otra
any	algún, alguna, algunos, algunas
around	alrededor de
because	porque
but	pero
by	(beside) al lado de, (done by) por
each or every	cada
everybody or everyone	todo el mundo
everything	todo
everywhere	por todas partes
for	para
he	él
her	ella (to...) le (belonging to...) su, sus
here	aquí
him	él (to...) le
his	su, sus

I	yo
if	si
in, into	en
it	el, ella, ello
its	su, sus
it's	es, está
just	sólo, solamente
me	mí (to...) me
my	mi, mis
myself	yo mismo, mí mismo
no	(not yes) no (not one) ni un, ni una
of	de
on	en
or	o
our	nuestro, nuestra, nuestros, nuestras
out of	fuera de
she	ella
so	(so big) tan (because of this) así
somebody or someone	alguien
something	algo
sometimes	a veces
somewhere	en algún sitio
than	que
their	su, sus

them	ellos, ellas (to...) les
then	entonces
there	allí
there's	hay
they	ellos, ellas
today	hoy
tomorrow	mañana
too	también
unless	a menos que
until	hasta
us	nosotros (to...) nos
we	nosotros
what	lo que (in questions) qué
which	que (in questions) cuál
whose	cuyo (in questions) de quién
yes	sí
yesterday	ayer
you	tú, ti or usted or vosotros, vosotras* (to...) te or le or os*
your	tu, tus or su, sus or vuestro, vuestra, vuestros, vuestras*

* You use **tú** for a young person or for someone you know very well; **usted** for someone you don't know very well, and **vosotros** for more than one person. (You may also hear **ustedes** used for more than one person.)

More about using your dictionary

When you have looked up a word, here are some of the things you can find out.

If the word can be used in different ways, there may be more than one Spanish translation.

You can check how to spell a word in English.

You can see how you can use a word in English and in Spanish.

know   (people) **conocer**,
            (facts) **saber**

Sam knows these children.

Sam conoce a estos niños.

I know he is angry.

Sé que está enfadado.

If the word can be used in different ways, there are different phrases or sentences.

You can see a picture of the word, or a way of using the word.

know   (people) **conocer**,
                (facts) <u>**saber**</u>

Sam knows these children.

These words in brackets show that you can use the word in different ways.

classroom   el aula (f)

our classroom   nuestra aula

The letter f in brackets tells you that the word is feminine.

butcher   el carnicero
               la carnicera

Mrs. Beef is   La señora Beef
a butcher.   es carnicera.

These two examples show the masculine and feminine form of the word.

hippopotamus (or hippo)
            el hipopótamo

Hippos live in Africa.

Los hipopótamos viven en África.

You can also find out if a word can be shortened.

El or la?

In Spanish, all nouns, or "naming" words such as "boy" and "house", are either masculine or feminine. The Spanish word for "the" is <u>el</u> for masculine nouns and <u>la</u> for feminine nouns.

Sometimes you can guess whether a noun is masculine or feminine – for example, "boy" is masculine (el chico). Almost all nouns ending in –o are masculine, and almost all nouns ending in –a are feminine. For other words, you need to check in the dictionary.

A very few nouns that begin with "a" are feminine but use <u>el</u>. They are shown in the dictionary like this:

water   el agua (f)

Plurals

"Plural" means "more than one". The Spanish for "the" when you are talking about more than one is <u>los</u> for masculine nouns, or masculine and feminine together, and <u>las</u> for feminine nouns. You also add <u>s</u> to the end of the noun if it ends in a, e, or o, and <u>es</u> if it ends in any other letter*:

child	el niño or la niña	clock	el reloj
children	los niños	clocks	los relojes
house	la casa	town	la ciudad
houses	las casas	towns	las ciudades

Fruit game

Which of these words are masculine, and which are feminine?

la fresa

el limón

la cereza

la frambuesa

la piña

la uva

la manzana

el plátano

* Nouns ending in –z change to –<u>ces</u>, for example:

fish   el pez   los peces

94

Answers: limón and plátano are masculine. Cereza, frambuesa, fresa, manzana and piña are feminine.

Adjectives

"Describing" words, such as "small" or "expensive", are called adjectives. In Spanish, they almost always go after the noun they are describing. The endings may change, depending whether the noun is masculine or feminine, singular or plural. For example, the Spanish word for "new" is "nuevo":

the new car	el coche nuevo

For a feminine noun, you change the –o at the end to –a:

the new house	la casa nueva

If the adjective ends in –e the ending doesn't change:

the big car	el coche grande
the big house	la casa grande

For plurals, you add –s to the end of the adjective:

the new cars	los coches nuevos
the new houses	las casas nuevas
the big cars	los coches grandes
the big houses	las casas grandes

If an adjective ends in any letter except a, e or o, it is the same for both masculine and feminine. For plurals you add –es:

the blue house	la casa azul
the blue cars	los coches azules

Verbs

"Doing" words, such as "walk" or "laugh", are called verbs. In English, verbs don't change very much, whoever is doing them:

I walk, you walk, he walks

In Spanish, the endings change much more. Many verbs work in a similar way to the one below. The verb is in the present – the form that you use to talk about what is happening now. You don't usually need to say "I", "you" and so on, as you can mostly tell from the verb itself who is doing it.

to talk	hablar
I talk	hablo
you talk*	hablas
you talk*	(usted) habla
he talks	habla
she talks	habla
we talk	hablamos
you talk*	habláis
they talk	hablan

In the main part of the dictionary, you will find the "to" form of the verb.

On pages 100–104, you will find a list of all the verbs, with the most useful forms in the present: the "to" form, the "–ing" form, the "I" form and the "he or she" form.

The verbs for "to be"

One of the most useful verbs to know is "to be". In Spanish, there are actually two verbs: **ser** and **estar**.

to be	ser
I am	soy
you are*	eres
you are*	(usted) es
he is	es
she is	es
we are	somos
you are*	sois
they are	son

to be	estar
I am	estoy
you are*	estás
you are*	(usted) está
he is	está
she is	está
we are	estamos
you are*	estáis
they are	están

You use "ser" for things that don't change:

The house is large.	La casa es grande.
Dad is a grown-up.	Papá es mayor.

You use "estar" for things that can change:

I am tired.	Estoy cansado.
The shop is closed.	La tienda está cerrada.

* In Spanish, you use the –as form for one person, either a young person or someone you know very well. For someone you don't know very well, you use the –a form with **usted** (a special polite word for "you"). You use the –áis form for more than one person.

This, that

On page 94 you can see how the word for "the" changes, depending whether a noun is masculine or feminine. The word for "this" is <u>este</u>, and it changes in a similar way:

the boy	el chico
this boy	este chico
the word	la palabra
this word	esta palabra

When you are talking about more than one of something (plurals), the word for "these" is <u>estos</u> for masculine nouns, and <u>estas</u> for feminine ones.

the boys	los chicos
these boys	estos chicos
the words	las palabras
these words	estas palabras

The word for "that" is <u>ese</u> if you are talking about something close to the person you are speaking to, and <u>aquel</u> if you are talking about something that isn't close. <u>Ese</u> and <u>aquel</u> change in a similar way to <u>este</u>:

Pass me...	Pásame...
...that book	...ese libro
...that cup	...esa taza
...those papers	...esos papeles
...those scissors	...esas tijeras
Look at...	Mira...
...that plane	...aquel avión
...that house	...aquella casa
...those cars	...aquellos coches
...those flowers	...aquellas flores

If <u>este</u> or <u>ese</u> aren't followed by a noun, they change to <u>esto</u> and <u>eso</u> (<u>esta</u> and <u>esa</u> don't change):

Does she need this?	¿Necesita esto?
I don't want that.	No quiero eso.

One, some, all

In Spanish, the words for "one", "some" and "all" can change, depending on whether the following noun is masculine or feminine, singular or plural (see page 94). The word for "a" or "an" is the same as the word for "one":

a boy or one boy	un chico
a girl or one girl	una chica

The word for "some", meaning "several", is <u>unos</u> for masculine nouns and <u>unas</u> for feminine nouns:

some boys	unos chicos
some girls	unas chicas

The word for "some", meaning "some, not others", is <u>algunos</u> for masculine nouns and <u>algunas</u> for feminine nouns:

Some boys are wearing shorts.
Algunos chicos llevan pantalones cortos.

Some little girls don't like dolls.
A algunas niñas no les gustan las muñecas.

There isn't a special word for "some" meaning "a little":

I'm eating some bread.
Estoy comiendo pan.

He needs some water.
Necesita agua.

The word for "all" is <u>todo</u>, or <u>toda</u> in the feminine:

all the time	todo el tiempo
all my life	toda mi vida

When you are talking about more than one, it becomes <u>todos</u> for masculine nouns and <u>todas</u> for feminine nouns:

all the boys	todos los chicos
all the girls	todas las chicas

Making sentences

To make sentences in Spanish, you usually put the words in the same order as in an English sentence. Remember to make any changes you need for masculine or feminine words in the sentence. Here are some examples from the dictionary:

It's a work of art.
Es una obra de arte.

Patch has found some bones.
Patch ha encontrado unos huesos.

Eric goes very fast on his skis.
Eric va muy rápido en sus esquíes.

Where does the adjective go?

In English, adjectives usually go before the noun they are describing. In Spanish, most adjectives go after the noun:

a healthy breakfast
un desayuno sano

a dangerous snake
una serpiente peligrosa

Becky has green ribbons.
Becky lleva unas cintas verdes.

However, some very common adjectives, such as bueno, grande, malo, can go before the noun. If so, they are shortened to buen and mal before masculine nouns (only in the singular) or gran before all nouns in the singular:

a large amount of pasta
una gran cantidad de pasta

It is possible to have adjectives before and after a noun:

a nice, sweet, green pear
una buena pera verde y dulce

More and most

In English, when you compare things, you often add "er" to an adjective: "A mouse is smaller than a rabbit." Other times, you use "more": "My puzzle is more difficult than yours." In Spanish, you use the word más to compare things:

Mountains are higher than hills.
Las montañas son más altas que las colinas.

The car is more expensive than the duck.
El coche es más caro que el pato.

When you compare several things, in English you add "est" to the adjective, or use "most": "This tree's the tallest." "This is the most delicious." In Spanish, you use el más, (or la más or los más or las más):

Ben is the youngest.
Ben es el más joven.

These shoes are the most expensive.
Estos zapatos son los más caros.

As in English, you have special words for:

better	mejor
the best	el mejor (la mejor, los mejores, las mejores)
worse	peor
the worst	el peor (la peor, los peores, las peores)

My plane is better than your truck.
Mi avión es mejor que tu camión.

the best in the class
el mejor or **la mejor de la clase**

the worst place to have a picnic
el peor sitio para hacer un picnic

Making questions

To make a question in Spanish, you put the verb before the subject of the sentence, and add question marks at the beginning and end of the sentence. For example:

Is the bus going into town?
¿Va el autobús a la ciudad?

Is the kitten behind the flowerpot?
¿Está el gatito detrás de la maceta?

You can also make questions beginning with question words, such as:

Who..?	¿Quién..?
Which..?	¿Cuál..? or ¿Cuáles?
What..?	¿Qué..?
Where..?	¿Dónde..?
When..?	¿Cuándo..?
Why..?	¿Por qué..?
How..?	¿Cómo..?
How much..?	¿Cuánto..? or ¿Cuánta..?
How many..?	¿Cuántos..? or ¿Cuántas..?

For example:

What does this word mean?
¿Qué quiere decir esta palabra?

How much do the apples cost?
¿Cuánto cuestan las manzanas?

And there are some other useful words for questions which mostly begin "any–" in English:

anybody or anyone	alguien
anything	algo
anywhere	en algún sitio

For example:

Is anybody in the classroom?
¿Hay alguien en el aula?

Does she need anything?
¿Necesita algo?

Have you seen my glasses anywhere?
¿Has visto mis gafas en algún sitio?

Negative sentences

A negative sentence is a "not" sentence, such as "I'm not hungry". To make a sentence negative in Spanish, you just add <u>no</u> before the verb:

I'm not hungry.
No tengo hambre.

The bus isn't going into town.
El autobús no va a la ciudad.

The kitten isn't behind the flowerpot.
El gatito no está detrás de la maceta.

Mum doesn't want cake.
Mamá no quiere pastel.

If there is more than one verb, you only make one negative, as in English:

He doesn't like doing his homework.
No le gusta hacer sus deberes.

Dad hasn't burnt the burgers.
Papá no ha quemado las hamburguesas.

There are some useful words for negative sentences which mostly begin "no–" in English (it's the same as saying "not any–"):

nobody or no one	nadie
nothing	nada
nowhere	ninguna parte
never	nunca

For example:

There is nobody at home
or There isn't anybody at home.
No hay nadie en casa.

I have nothing to eat
or I don't have anything to eat.
No tengo nada que comer.

This path goes nowhere
or This path doesn't go anywhere.
Este sendero no va a ninguna parte.

The train is never late or The train isn't ever late.
El tren nunca lleva retraso.

To, from and other useful place words

The Spanish word for "to" (a place or person) is <u>a</u>. If it is followed by a masculine noun, it changes to <u>al</u>:

They're going to the supermarket.
Van al supermercado.

Jack is sending a letter to his friend.
Jack está enviando una carta a su amigo.

Danny walks to school.
Danny va a la escuela a pie.

Polly is feeding corn to the hens.
Polly está dando maíz a las gallinas.

In Spanish, you often use <u>a</u> in places where you wouldn't say "to" in English. Look at some examples from the dictionary:

Alex is calling Pip.
Alex llama a Pip.

Polly and Jack are chasing the dogs.
Polly y Jack persiguen a los perros.

The doctor is looking after Kirsty.
El médico está cuidando a Kirsty.

This sweater doesn't fit Jenny.
Este jersey no le queda bien a Jenny.

The Spanish word for "at", "in" or "on" is usually <u>en</u>:

I've left my bag at home.
He dejado mi bolsa en casa.

Polly and Marco play in a band.
Polly y Marco tocan en una orquesta.

The hens are on a stone wall.
Las gallinas están en un muro de piedra.

Note that when you are talking about where something is, you always use the verb <u>estar</u>, even for something that is always there (like a building):

The museum is in the town centre.
El museo está en el centro de la ciudad.

The Spanish word for "from", and also "of", is <u>de</u>. If it is followed by <u>el</u>, you put <u>de</u> and <u>el</u> together and say <u>del</u>:

He's coming from the office.
Viene del despacho.

the bark of a tree
la corteza de un árbol

I'm taking a book from the shelf.
Tomo un libro del estante.

the meaning of the words
el significado de las palabras

<u>De</u> is also part of lots of other useful place expressions:

next to	al lado de
near to	cerca de
a long way from	lejos de
outside	fuera de
inside	dentro de
in front of	delante de
behind	detrás de
opposite	enfrente de
on top of	encima de
underneath	debajo de

For example:

The kitten is next to the flowerpot.
El gatito está al lado de la maceta.

The shop is near the swimming pool.
La tienda está cerca de la piscina.

The house is a long way from the school.
La casa está lejos de la escuela.

The monkey is outside the cage.
El mono está fuera de la jaula.

The church is opposite the hospital.
La iglesia está enfrente del hospital
(you can also say) frente al hospital.

The kitten is on top of the desk.
El gatito está encima de la mesa de trabajo.

Verbs

These pages list the verbs (or "doing" words) that appear in the main part of the dictionary. Page 95 explains a little about verbs in Spanish, and how the endings change for "I", "you", "he or she", and so on. It also introduces the two Spanish verbs for "to be", <u>ser</u> and <u>estar</u>.

In this list, you can find the infinitive (the "to" form) and the "–ing" form of the verb, which ends –<u>ndo</u> in Spanish. You can also find the "I" and the "he or she" form in the present (the form you use to talk about things happening now). To make the "they" form, you add –<u>n</u> to the end of the "he or she" form. For example:

to speak	hablar
speaking	hablando
I speak	hablo
he speaks	habla
she speaks	habla
they speak	hablan

These are probably the forms you will find most useful to begin with.

*Reflexive verbs

The verbs marked with an asterisk (*) are a type of verb called a "reflexive verb". They are often used where you would use "... myself", "... yourself", and so on, in English. The main part of the verb works like other verbs, but you also need to put <u>me</u>, <u>te</u>, <u>se</u> and so on, depending on who is doing the action. For example, <u>lavarse</u> ("to wash yourself") is formed like this (find out about the different "you" forms on page 95):

I wash myself	me lavo
you wash yourself	te lavas
you wash yourself	(usted) se lava
he washes himself	se lava
she washes herself	se lava
we wash ourselves	nos lavamos
you wash yourselves	os laváis
they wash themselves	se lavan

You also need to say <u>me</u>, <u>te</u>, <u>se</u> and so on when you use the "–ing" form:

I am washing myself	Me estoy lavando

abrazar abrazando abrazo abraza	to hug	adivinar adivinando adivino adivina	to guess	añadir añadiendo añado añade	to add	arrodillarse* arrodillándose me arrodillo se arrodilla	to kneel down
abrir abriendo abro abre	to open	ahorrar ahorrando ahorro ahorra	to save (money, time)	apagar apagando apago apaga	to blow out, to put out	asentir (con la cabeza) asintiendo asiento asiente	to nod
acampar acampando acampo acampa	to camp	alcanzar alcanzando alcanzo alcanza	to reach	aparcar aparcando aparco aparca	to park	atar atando ato ata	to tie
acordarse* acordándose me acuerdo se acuerda	to remember	alojarse* alojándose me alojo se aloja	to stay (as a guest)	aprender aprendiendo aprendo aprende	to learn	atrapar atrapando atrapo atrapa	to catch
acostarse* acostandose me acuesto se acuesta	to lie down	andar andando ando anda	to walk	arreglar arreglando arreglo arregla	to fix, to mend	ayudar ayudando ayudo ayuda	to help

bailar	to dance	cavar	to dig	congelar	to freeze	coser	to sew
bailando		cavando		congelando	(something)	cosiendo	
bailo		cavo		congelo		coso	
baila		cava		congela		cose	

bailar	to dance	cavar	to dig
bailando		cavando	
bailo		cavo	
baila		cava	

congelar	to freeze (something)	coser	to sew
congelando		cosiendo	
congelo		coso	
congela		cose	

barrer	to sweep	cerrar	to close, to shut
barriendo		cerrando	
barro		cierro	
barre		cierra	

conocer	to know (people, places)	crecer	to grow
conociendo		creciendo	
conozco		crezco	
conoce		crece	

beber	to drink	cocinar	to cook
bebiendo		cocinando	
bebo		cocino	
bebe		cocina	

conservar	to keep	creer	to think, to believe
conservando		creyendo	
conservo		creo	
conserva		cree	

besar	to kiss	colgar	to hang
besando		colgando	
beso		cuelgo	
besa		cuelga	

construir	to build	cruzar	to cross
construyendo		cruzando	
construyo		cruzo	
construye		cruza	

bostezar	to yawn	columpiarse*	to swing
bostezando		columpiándose	
bostezo		me columpio	
bosteza		se columpia	

contar	to tell, to count	dar	to give
contando		dando	
cuento		doy	
cuenta		da	

buscar	to search	comer	to eat
buscando		comiendo	
busco		como	
busca		come	

contestar	to reply	darse* cuenta	to notice, to realize
contestando		dándose cuenta	
contesto		me doy cuenta	
contesta		se da cuenta	

caerse*	to fall (over)	compartir	to share
cayéndose		compartiendo	
me caigo		comparto	
se cae		comparte	

copiar	to copy	decir	to say, to tell
copiando		diciendo	
copio		digo	
copia		dice	

calentar	to heat	comprar	to buy
calentando		comprando	
caliento		compro	
calienta		compra	

correr	to run	dejar	to let, to leave (something)
corriendo		dejando	
corro		dejo	
corre		deja	

cantar	to sing	conducir	to drive, to lead
cantando		conduciendo	
canto		conduzco	
canta		conduce	

cortar	to cut	deletrear	to spell
cortando		deletreando	
corto		deletreo	
corta		deletrea	

**Gustar, encantar and others

The verbs marked with two asterisks (**) are described as being "the other way round from English". Instead of saying, "I like this book" or "I like strawberries", it is as though you were saying, "This book pleases me" or "strawberries please me". So if the verb changes, it depends on "book" (singular) or "strawberries" (plural), and not on "I" or "me".

I like this book.
Me gusta este libro.

I like strawberries.
Me gustan las fresas.

If you are talking about another person or other people, you usually put <u>a</u> before their name, at the beginning of the sentence:

Beth loves having her bath.
A Beth le encanta bañarse.

Becky likes strawberries.
A Becky le gustan las fresas.

My parents don't mind the mess.
A mis padres no les molesta el desorden.

Verbs

derramar	to spill	empujar	to push	estudiar	to study	gritar	to shout
derramando		empujando		estudiando		gritando	
derramo		empujo		estudio		grito	
derrama		empuja		estudia		grita	
desaparecer	to disappear	encantar**	to love	explicar	to explain	guardar	to keep
desapareciendo		encantando		explicando		guardando	
desaparezco		me encanta,		explico		guardo	
desaparece		me encantan		explica		guarda	
		le encanta, le encantan					
descubrir	to spot			fijar	to fix	gustar**	to like
descubriendo		encoger	to shrink	fijando		gustando	
descubro		encogiendo		fijo		me gusta, me gustan	
descubre		encojo		fija		le gusta, le gustan	
		encoge					
deslizarse*	to slide			fingir	to pretend	hablar	to talk,
deslizándose		encontrar	to find	fingiendo		hablando	to speak
me deslizo		encontrando		finjo		hablo	
se desliza		encuentro		finge		habla	
		encuentra					
desnudarse*	to undress			firmar	to sign	hacer	to do,
desnudándose		enseñar	to show,	firmando		haciendo	to make
me desnudo		enseñando	to teach	firmo		hago	
se desnuda		enseño		firma		hace	
		enseña					
despertarse*	to wake up			flotar	to float	helarse*	to freeze
despertandose		entender	to understand	flotando		helandose	
me despierto		entendiendo		floto		me hielo	
se despierta		entiendo		flota		se hiela	
		entiende					
dibujar	to draw			freír	to fry	hornear	to bake
dibujando		enviar	to send	friendo		horneando	
dibujo		enviando		frío		horneo	
dibuja		envío		fríe		hornea	
		envía					
divertirse*	to enjoy			funcionar	to work	hundirse*	to sink
divirtiéndose	yourself	escaparse*	to escape	funcionando	(machines)	hundiéndose	
me divierto		escapándose		funciono		me hundo	
se divierte		me escapo		funciona		se hunde	
		se escapa					
doler	to hurt			ganar	to win	importar	to matter
doliendo		esconder	to hide	ganando		importando	
(no "I" form)		escondiendo		gano		(no "I" form)	
duele		escondo		gana		importa	
		esconde					
dormir	to sleep			gastar	to spend	inclinarse*	to lean
durmiendo		escribir	to write	gastando	(money)	inclinándose	
duermo		escribiendo		gasto		me inclino	
duerme		escribo		gasta		se inclina	
		escribe					
echar	to throw			girar	to turn	intentar	to try
echando		esperar	to wait,	girando		intentando	
echo		esperando	to hope	giro		intento	
echa		espero		gira		intenta	
		espera					
elegir	to choose,			golpear	to hit,	invitar	to invite
eligiendo	to pick	esquiar	to ski	golpeando	to knock	invitando	
elijo		esquiando		golpeo		invito	
elige		esquío		golpea		invita	
		esquía					
empezar	to begin			graznar	to quack	ir	to go
empezando		estrellarse*	to crash	graznando		yendo	
empiezo		estrellándose		grazno		voy	
empieza		me estrello		grazna		va	
		se estrella					

* see Reflexive verbs on page 100.

** see Gustar, encantar and others on page 101.

jugar	to play	mantenerse*	to balance	nadar	to swim	pelearse*	to fight
jugando		en equilibrio		nadando		peleandose	
juego		manteniéndose...		nado		me peleo	
juega		me mantengo...		nada		se pelea	
		se mantiene...					
ladrar	to bark			necesitar	to need	pensar	to think
ladrando		matar	to kill	necesitando		pensando	
ladro		matando		necesito		pienso	
ladra		mato		necesita		piensa	
		mata					
lamer	to lick			nevar	to snow	perder	to lose,
lamiendo		medir	to measure	nevando		perdiendo	to miss
lamo		midiendo		(no "I" form)		pierdo	
lame		mido		nieva		pierde	
		mide					
lavar	to wash			odiar	to hate	perseguir	to chase
lavando		mentir	to lie	odiando		persiguiendo	
lavo		mintiendo		odio		persigo	
lava		miento		odia		persigue	
		miente					
leer	to read			oír	to hear	pertenecer	to belong
leyendo		meter	to put	oyendo		perteneciendo	
leo		metiendo	(inside)	oigo		pertenezco	
lee		meto		oye		pertenece	
		mete					
levantar	to lift			oler	to smell	pescar	to fish
levantando		mezclar	to mix	oliendo		pescando	
levanto		mezclando		huelo		pesco	
levanta		mezclo		huele		pesca	
		mezcla					
limpiar	to clean			olvidar	to forget	picar	to itch,
limpiando		mirar	to look,	olvidando		picando	to sting
limpio		mirando	to watch	olvido		pico	
limpia		miro		olvida		pica	
		mira					
llamar	to call			pagar	to pay	pintar	to paint
llamando		molestar**	to mind	pagando		pintando	
llamo		molestando		pago		pinto	
llama		me molesta,		paga		pinta	
		me molestan					
		le molesta, le molestan					
llegar	to arrive,			parar	to stop	planear	to plan
llegando	to reach	montar (a caballo)	to ride	parando		planeando	
llego		montando		paro		planeo	
llega		monto		para		planea	
		monta					
llenar	to fill			pasar	to pass,	plegar	to fold
llenando		morder	to bite	pasando	to happen,	plegando	
lleno		mordiendo		paso	to spend (time)	pliego	
llena		muerdo		pasa		pliega	
		muerde					
llevar	to carry,			patinar	to skate	precipitarse*	to rush
llevando	to wear,	morirse*	to die	patinando		precipitándose	
llevo	to take	muriéndose		patino		me precipito	
lleva		me muero		patina		se precipita	
		se muere					
llorar	to cry			pedir	to ask	preguntar	to ask
llorando		mostrar	to show	pidiendo		preguntando	
lloro		mostrando		pido		pregunto	
llora		muestro		pide		pregunta	
		muestra					
llover	to rain			pegar	to stick	presionar	to press
lloviendo		mover	to move	pegando		presionando	
(no "I" form)		moviendo		pego		presiono	
llueve		muevo		pega		presiona	
		mueve					

* see Reflexive verbs on page 100.

** see Gustar, encantar and others on page 101.

Verbs

probar probando pruebo prueba	to taste, to try (on)	respirar respirando respiro respira	to breathe	significar significando significo significa	to mean	trabajar trabajando trabajo trabaja	to work
prometer prometiendo prometo promete	to promise	romper rompiendo rompo rompe	to break	sonar sonando sueno suena	to sound, to ring	traer trayendo traigo trae	to bring
quedarse* quedándose me quedo se queda	to stay	saber sabiendo sé sabe	to know (facts)	sonreír sonriendo sonrío sonríe	to smile	tropezar tropezando tropiezo tropieza	to bump
quemar quemando quemo quema	to burn	sacudir sacudiendo sacudo sacude	to shake	soplar soplando soplo sopla	to blow	unir uniendo uno une	to join
querer queriendo quiero quiere	to want, to love	salpicar salpicando salpico salpica	to splash	sostener sosteniendo sostengo sostiene	to hold	usar usando uso usa	to use
recoger recogiendo recojo recoge	to pick (flowers)	saltar saltando salto salta	to jump	subir subiendo subo sube	to climb	vender vendiendo vendo vende	to sell
regalar regalando regalo regala	to give (a gift)	saludar (con la mano) saludando saludo saluda	to wave	tener teniendo tengo tiene	to have	venir viniendo vengo viene	to come
reírse* riendose me río se ríe	to laugh	salvar salvando salvo salva	to save (from danger)	terminar terminando termino termina	to finish	ver viendo veo ve	to see
remendar remendando remiendo remienda	to mend (clothes)	secar secando seco seca	to dry	tirar tirando tiro tira	to pull, to throw, to knock over	vestirse* vistiéndose me visto se viste	to dress
remover removiendo remuevo remueve	to stir	sentarse* sentándose me siento se sienta	to sit	tocar tocando toco toca	to touch, to feel, to play (music)	visitar visitando visito visita	to visit
resbalar resbalando resbalo resbala	to slip	sentirse* sintiéndose me siento se siente	to feel	tomar tomando tomo toma	to take	vivir viviendo vivo vive	to live
rescatar rescatando rescato rescata	to rescue	señalar señalando señalo señala	to point	torcer torciendo tuerzo tuerce	to turn	volar volando vuelo vuela	to fly

* see Reflexive verbs on page 100.

104

Complete Spanish word list

a menos que	unless	andar a gatas	to crawl	un beso	kiss
a menudo	often	el ángel	angel	el bicho	bug
(correr) a toda prisa	to rush, to hurry	el anillo	ring	la bicicleta	bicycle
a través	through, across	el animal	animal	bien	well
a veces	sometimes	el año	year	el billete	(bank)note, ticket
la abeja	bee	antes	before	blanco	white
abierto	open (shop)	apagado	dull (colour)	la boca	mouth
abrazar	to hug	apagar	to blow out	el bocadillo	sandwich
el abrigo	coat	aparcar	to park	la bolsa	bag
abril	April	aprender	to learn	el bolsillo	pocket
abrir	to open	aquí	here	el bolso	handbag
la abuela	grandmother	la araña	spider	el bombero	firefighter
abuela	Granny	el árbol	tree	bonito	nice (to look at), pretty
el abuelo	grandfather	el arbusto	bush	el borde	edge
abuelo	Grandpa	el arco iris	rainbow	el bosque	forest, wood
los abuelos	grandparents	la ardilla	squirrel	bostezar	to yawn
aburrido	dull, boring	la arena	sand	la bota	boot
acampar	to camp	arreglar	to fix, to mend	la botella	bottle
el aceite	oil	arrodillarse	to kneel down	el botón	button
acordarse	to remember	el arroz	rice	el brazo	arm
acostarse	to lie down	el arte	art	brillante	bright
el actor	actor	el artista	artist (m)	la bruja	witch
la actriz	actress	la artista	artist (f)	bueno	good
además	also	asentir con la cabeza	to nod	la bufanda	scarf
adiós	goodbye	así	so (because of this)	el burro	donkey
adivinar	to guess	la aspiradora	vacuum cleaner	buscar	to search
la adulta	adult (f)	el astronauta	astronaut (m)		
el adulto	adult (m)	la astronauta	astronaut (f)	el caballero	knight
afilado	sharp	atar	to tie	el caballo	horse
afuera	outside	atrapar	to catch	la cabeza	head
agosto	August	el aula (f)	classroom	la cabra	goat
el agua (f)	water	el autobús	bus	el cabrito	kid
el águila (f)	eagle	el avión	plane	el cacahuete	peanut
la aguja	needle	ayer	yesterday	el cachorro	puppy
el agujero	hole	ayudar	to help	cada	each, every
ahora	now	el azúcar	sugar	caer	to fall
ahorrar	to save (time or money)	azul	blue	caerse	to fall over
el aire	air			el café	café, coffee
al lado	beside	el babero	bib	la caja	box
el álbum de fotos	photo album	la babosa	slug	la calabaza	pumpkin
alcanzar	to reach	bailar	to dance	el calcetín	sock
el alfabeto	alphabet	la bailarina	ballerina	calentar	to heat
la alfombra	rug	bajo	low	cálido	warm
algo	something	la ballena	whale	caliente	hot
alguien	somebody, someone	el balón	ball	la calle	street
algún, alguna,	any, some	el banco	bank	calvo	bald
algunos, algunas		la bandera	flag	la cama	bed
allí	there	la bañera	bath	la cámara	camera
la almohada	pillow	el baño	toilet (room)	la camarera	waitress
alojarse	to stay (as guest)	barato	cheap	el camarero	waiter
alrededor de	about, more or less	la barba	beard	el camello	camel
alto	high, tall	la barbilla	chin	el camino	way (route)
la altura	height	la barca	boat	el camión	truck
la alumna	pupil (f)	el barco	ship	la camisa	shirt
el alumno	pupil (m)	la barra	bar	la camiseta	T-shirt
amable	kind, friendly	barrer	to sweep	el campo	countryside, field
amarillo	yellow	el barro	mud	la canción	song
la ambulancia	ambulance	la base	base	el canguro	kangaroo
la amiga	friend (f)	bastante	quite, fairly	cantar	to sing
el amigo	friend (m)	el bate	(sports) bat	la cantidad	amount
añadir	to add	el bebé	baby	la cara	face
ancho	wide	beber	to drink	el caracol	snail
andar	to walk	besar	to kiss	la carne	meat

Spanish word list

la carnicera	butcher (f)	el codo	elbow	la cuerda	rope, string
el carnicero	butcher (m)	el cohete	rocket	el cuerpo	body
caro	expensive	la cola	tail	el cuestionario	quiz
la carrera	race	el colegio	school	la cueva	cave
la carretera	road	colgar	to hang	(tener) cuidado	to mind (be careful)
la carta	letter	la coliflor	cauliflower	la cumbre	peak (mountain)
la casa	home, house	la colina	hill	el cumpleaños	birthday
la cáscara	shell (eggs, nuts)	el collar	necklace	cuyo	whose
el casco	helmet	el color	colour		
casi	almost	columpiarse	to swing	dar	to give
el castillo	castle	el columpio	swing	dar de comer	to feed
catorce	fourteen	comer	to eat	dar las gracias	to thank
cavar	to dig	la cometa	kite	dar saltos	to hop
el CD	CD	la comida	food, lunch, meal	dar una patada	to kick
la cebolla	onion	como	like	darse cuenta	to notice
la cebra	zebra	compartir	to share	darse prisa	to hurry
la cena	dinner	comprar	to buy	de	of
el centro	centre	con	with	de noche	dark (not daylight)
el cepillo	brush, hairbrush	con retraso	late (not on time)	de quién	whose (in question)
el cepillo de dientes	toothbrush	la concha	(sea, snail) shell	debajo	below, under
cerca	close, near	conducir	to drive, to lead	décimo	tenth
los cereales	cereal		(direction)	decir	to say, to tell
la cereza	cherry	el conejo	rabbit		(give instructions)
la cerilla	match (for fire)	el congelador	freezer	el dedo	finger
cero	zero	congelar	to freeze (something)	el dedo del pie	toe
la cerradura	lock	conocer	to know (people)	dejar	to let, to leave
cerrar	to close, to shut	conservar	to keep		(something)
el cesto	basket	construir	to build	dejar caer	to drop
el champiñón	mushroom	contar	to tell, to count	del todo	quite (completely)
el champú	shampoo	contento	glad	delante	front
la chaqueta	jacket	contestar	to reply	deletrear	to spell
la charca	pond	copiar	to copy	el delfín	dolphin
el charco	puddle	el corazón	heart	delgado	thin (person, animal)
la chica	girl	el cordero	lamb	el dentífrico	toothpaste
el chico	boy	la corona	crown	el dentista	dentist (m)
el chiste	joke	correcto	right (not wrong)	la dentista	dentist (f)
el chocolate	chocolate	el correo electrónico	email	dentro	inside
el chubasco	shower (rain)	correr	to run	el deporte	sport
el cielo	sky	cortar	to cut	derecho	right (not left), upright
cien	hundred	la corteza	bark (wood)	derramar	to spill
el ciervo	deer	corto	short	desaparecer	to disappear
la cifra	number (figure)	la cosa	thing	el desayuno	breakfast
cinco	five	coser	to sew	descubrir	to spot
cincuenta	fifty	crecer	to grow	desde	since
la cinta	ribbon	creer	to think, to believe	el deseo	wish
el cinturón	belt	la cremallera	zip	el desierto	desert
el círculo	circle	la cruz	cross	deslizarse	to slide
la ciruela	plum	cruzar	to cross	desnudarse	to undress
el cisne	swan	el cuaderno	notebook	desnudo	bare
la ciudad	town, city	el cuadrado	square	el desorden	mess
claro	pale, light	el cuadro	picture	el despacho	study (room)
la clase	(school) class, sort	cuál	which (in question)	despacio	slowly
el clavo	nail (metal)	cuarenta	forty	despertar	to wake (someone)
la cobaya	guinea pig	la cuarta parte	quarter	despertarse	to wake up
cocer al horno	to bake	el cuarto	quarter	después	after, next
el coche	car	cuarto	fourth	detrás	behind
el coche de bomberos	fire engine	cuatro	four	el día	day
el coche de policía	police car	el cubo	bucket	dibujar	to draw
la cocina	kitchen	la cuchara	spoon	el dibujo	drawing
cocinar	to cook	el cuchillo	knife	el diccionario	dictionary
la cocinera	chef, cook (f)	el cuello	neck	diciembre	December
el cocinero	chef, cook (m)	el cuenco	bowl	diez	ten
el cocodrilo	crocodile	el cuento	story	diecinueve	nineteen

dieciocho	eighteen	enviar	to send	la frambuesa	raspberry
dieciséis	sixteen	el equipo	side, team	la frase	sentence
diecisiete	seventeen	equivocado	wrong	el fregadero	sink (kitchen)
el diente	tooth	el error	mistake	freír	to fry
diferente	different	es, está	it's	la fresa	strawberry
difícil	difficult, hard	la escalera	ladder, stairs	fresco	fresh
el dinero	money	escaparse	to escape	el frigorífico	refrigerator, fridge
el dinosaurio	dinosaur	el escarabajo	beetle	frío	cold (not hot)
la dirección	address	esconder	to hide (something)	la fruta	fruit
disgustado	upset	esconderse	to hide (yourself)	el fruto seco	nut
divertido	fun	escribir	to write	el fuego	fire
divertirse	to enjoy (yourself)	la escuela	school	fuera	outside
doce	twelve	el espacio	space (room or stars)	fuera de	out of
doler	to hurt	la espalda	back (body)	fuerte	strong, loud
domingo	Sunday	especial	special	funcionar	to work (function)
dorado	golden	el espejo	mirror	el fútbol	soccer, football
dormido	asleep	esperar	to wait, to hope		
dormir	to sleep	las espinacas	spinach	las gafas	glasses
el dormitorio	bedroom	la esponja	sponge	las gafas de sol	sunglasses
dos	two	esquiar	to ski	la gallina	hen
el dragón	dragon	esta noche	tonight	ganar	to win
la ducha	shower (for washing)	la estación	station, season	el gas	gas
dulce	gentle, sweet (taste)	el estante	shelf	gastar	to spend (money)
duro	hard (surface)	estar	to be	el gatito	kitten
		estar acostado	to be lying down	el gato	cat
echar	to throw	estar de pie	to be standing	la gemela	twin (f)
echar de menos	to miss (person)	estar de rodillas	to be kneeling	el gemelo	twin (m)
la edad	age	estar enfrente	to face	la gente	people
el edificio	building	estar sentado	to be sitting	el gigante	giant
él	he, him	la estatura	height (of person)	girar	to turn
el búho	owl	estrecho	narrow	el girasol	sunflower
el, ello	it	la estrella	star	el globo	balloon
la electricidad	electricity	estrellarse	to crash	el gol	goal
el elefante	elephant	estudiar	to study	golpear	to hit, to knock
elegir	to choose, to pick	estupendo	great (fantastic)	gordo	fat
ella	she, her, it	la excavadora	digger	la gorra	cap
ellos, ellas	they, them	explicar	to explain	la gota	drop
empapado	wet (soaking)	el extremo	end (table, line)	gracioso	funny (amusing)
empezar	to begin, to start			gran, grande	big, great, large
empinado	steep	fácil	easy	el granero	barn
el empleo	job	la falda	skirt	la granja	farm
empujar	to push	la falta	mistake	el granjero	farmer
en	in, into, on	la familia	family	gratis	free (no cost)
en algún sitio	somewhere	el fantasma	ghost	graznar	to quack
en forma	fit (healthy)	febrero	February	gris	grey
en vez	instead	la fecha	date	gritar	to shout
encantar	to delight	feliz	happy	el grupo	group
encima	on top	feo	ugly	el guante	glove
encoger	to shrink	la fiesta	party	guardar	to keep
encontrar	to find	fijar	to fix, to attach	el guijarro	pebble
encontrarse	to meet (by chance)	el fin	end (story, time)	el guisante	pea
enero	January	fingir	to pretend	la guitarra	guitar
enfadado	angry	fino	thin, fine	gustar	to please
la enfermera	nurse (f)	firmar	to sign		
el enfermero	nurse (m)	la flauta	recorder	el haba (f)	bean
enfrente	opposite, facing	la flor	flower	la habitación	room (in house)
enorme	enormous	el florero	vase	hablar	to speak, to talk
la ensalada	salad	flotar	to float	hacer	to do, to make,
enseñar	to show, to teach	la foca	seal		to cook
entender	to understand	el fondo	back (room, bus etc.),	hacer juego	to match
entonces	then		bottom (cup, sea)	hacer juegos	to juggle
entorno a	around	la forma	shape	malabares	
entre	between	la fotografía	photo	hacerse socio	to join (become a member)

Spanish word list

hacia abajo	down
el hada (f)	fairy
la hamburguesa	burger, hamburger
el hámster	hamster
la harina	flour
hasta	until
hay	there's
el hechizo	spell
el hecho	fact
el helado	ice cream
helarse	to freeze
el helicóptero	helicopter
la hermana	sister
el hermano	brother
hermoso	beautiful
el hielo	ice
la hierba	grass
la hija	daughter
el hijo	son
los hijos	children
la hilera	line (of people)
el hipopótamo	hippopotamus
la hoja	leaf, sheet of paper
hola	hello
el hombre	man
el hombro	shoulder
la hora	hour, o'clock, time (on a clock)
la hormiga	ant
hornear	to bake
el hospital	hospital
el hot dog	hotdog
el hotel	hotel
hoy	today
el hoyo	hole (in ground)
el hueso	bone, stone (in fruit)
el huevo	egg
hundirse	to sink
la idea	idea
el idioma	(foreign) language
igual	equal
impar	odd (number)
importar	to matter
el incendio	fire (house on fire)
inclinarse	to lean
infeliz	unhappy
inmóvil	still (not moving)
el insecto	insect
intentar	to try
Internet (m/f)	Internet
la inundación	flood
el invierno	Winter
la invitación	invitation
la invitada	guest, visitor (f)
el invitado	guest, visitor (m)
invitar	to invite
ir	to go
ir a la cabeza	to lead (be in front)
ir a pie	to go on foot
ir de camping	to go camping
ir de puntillas	to creep
ir en bicicleta	to cycle
irse	to leave (a place)
la isla	island
izquierdo	left (not right)
el jabón	soap
el jardín	garden
la jaula	cage
el jerbo	gerbil
la jirafa	giraffe
joven	young
la judía	bean
el juego	game
jueves	Thursday
jugar	to play
el juguete	toy
julio	July
la jungla	jungle
junio	June
junto	together
el labio	lip
al lado	next to, beside
el lado	side, edge
ladrar	to bark
el lago	lake
lamer	to lick
la lámpara	lamp
el lápiz	pencil
el lápiz de cera	crayon
el largo	length
largo	long
el lavabo	(bathroom) sink, basin
la lavadora	washing machine
lavar	to wash
lavarse	to wash yourself
le	her, him, you
la lección	lesson
la leche	milk
la lechuga	lettuce
leer	to read
lejos	far
la lengua	tongue
el lenguaje	language
lento	slow
el león	lion
les	them
levantar	to lift
levantarse	to stand up
libre	free (unrestricted)
el libro	book
ligero	light (not heavy)
el limón	lemon
limpiar	to clean
limpio	clean
la línea	line (on paper)
liso	straight (hair)
la lista	list
listo	ready
llamar	to call
llano	smooth (level)
la llave	key
llegar	to arrive, to come, to reach
llenar	to fill
lleno	full
llevar	to carry, to take, to wear
llevarse	to take (steal)
llorar	to cry
llover	to rain
la lluvia	rain
lo que	what (not question)
la loncha	slice (meat, cheese)
el loro	parrot
la luna	moon
lunes	Monday
la luz	light (lamp, sun)
la madera	wood (material)
la madre	mother
maduro	ripe
la maestra	teacher (f)
el maestro	teacher (m)
la magia	magic
la maleta	suitcase
malo	bad
mamá	Mum
la mañana	morning
mañana	tomorrow
la mancha	spot
la manga	sleeve
el mango	handle (knife, pan)
la manilla	handle (door)
la mano	hand
manso	gentle (animal)
la manta	blanket
mantenerse en equilibrio	to balance
la mantequilla	butter
la manzana	apple
el mapa	map
la maqueta	model
la máquina	machine
el mar	sea
el marinero	sailor
la marioneta	puppet
la mariposa	butterfly
la mariposa nocturna	moth
la mariquita	ladybird
marrón	brown
martes	Tuesday
el martillo	hammer
marzo	March
más	more
el más, la más los más, las más	most
la mascota	pet
matar	to kill
mayo	May
(la persona) mayor	grown-up
medio, media	half
la medialuna	crescent (shape)
la médica	doctor (f)
la medicina	medicine
el médico	doctor (m)
el medio	half, middle
medir	to measure
el melocotón	peach

menos	less	ni un, ni una	no (not one)	el pájaro	bird
el mensaje	message	el nido	nest	la palabra	word
mentir	to lie (not tell truth)	los nietos	grandchildren	el palacio	palace
el mercado	market	la nieve	snow	la paleta	sports bat
la merienda	tea (meal)	la niña	child, girl	pálido	light (colour), pale
el mes	month	el niño	child	el palo	stick
la mesa	table	el niño pequeño	toddler	el pan	bread
la mesa de trabajo	desk	no	no (not yes), not	el pan tostado	toast
el metal	metal	la noche	night	el panadero	baker (m)
meter	to put (inside)	el nombre	name	la panadera	baker (f)
mezclar	to mix	normalmente	usually	el pantalón corto	shorts
mí	me	nos	us	papá	Dad
mí mismo	myself	nosotros	we, us	el papel	paper
mi, mis	my	la nota	note (message, music)	par	even
el microondas	microwave	las noticias	news	el par	pair
la miel	honey	noveno	ninth	para	for
mientras	while	noventa	ninety	el paracaídas	parachute
miércoles	Wednesday	noviembre	November	el paraguas	umbrella
mil	thousand	la nube	cloud	parar	to stop
minúsculo	tiny	el nudo	knot	pararse	to stop yourself
el minuto	minute	nuestro, nuestra,	our	la pared	wall (of room)
mirar	to look, to watch	nuestros, nuestras		el parque	park
mismo, misma, mismos, mismas	same	nueve	nine	la parte	part
la mitad	half (portion)	nuevo	new	la parte de atrás	back (from outside)
el modelo	model	el número	number	la parte superior	top
el modelo a escala	(scale) model	nunca	never	el partido	game, match
el modo	way, method			la pasa	raisin
mojado	wet	o	or	el pasado	past (history)
molestar	to bother, to disturb	la oca	goose	pasar	to happen, to pass,
la moneda	coin	el océano	ocean		to spend (time)
el mono	ape, monkey	ochenta	eighty	la pasta de dientes	toothpaste
mono	sweet (cute)	ocho	eight	el pastel	cake
la montaña	mountain	octavo	eighth	la patata	potato
montar (a caballo)	to ride (a horse)	octubre	October	patinar	to skate
la moqueta	carpet	ocupado	busy	el patinete	scooter
morado	purple	odiar	to hate	el patio de recreo	playground (school)
morder	to bite	oír	to hear	el patito	duckling
morirse	to die	el ojo	eye	el pato	duck
la mosca	fly	la ola	wave	el pavo	turkey
mostrar	to show	oler	to smell	el payaso	clown
la moto	motorbike, scooter	olvidar	to forget	el pedazo	piece
	(with motor)	once	eleven	pedir	to ask (for something)
mover	to move	opuesto	opposite (different)	el pegamento	glue
mucho, mucha	(a) lot, much	la orca	killer whale	pegar	to stick, to glue
muchos, muchas	many	el ordenador	computer	el peine	comb
la mujer	woman	la oreja	ear	pelearse	to fight
el mundo	world	el oro	gold	peligroso	dangerous
la muñeca	doll	la orquesta	band	el pelo	fur, hair
el murciélago	bat (animal)	la oruga	caterpillar	la pelota	small ball
el muro	wall	os	you	pensar	to think, to consider
la música	music	oscuro	dark (colour)	el pepino	cucumber
muy	very	el osito	teddy bear	pequeño	small, young
		el oso	bear	la pera	pear
nadar	to swim	el otoño	Autumn	perder	to lose, to miss (train, ball)
la naranja	orange (fruit)	otra vez	again	perezoso	lazy
(de color) naranja	orange (colour)	otro, otra	other, another	el periódico	newspaper
la nariz	nose	el óvalo	oval	pero	but
la naturaleza	nature	la oveja	sheep	el perrito caliente	hotdog
la nave espacial	spacecraft	el padre	father	el perro	dog
Navidad (f)	Xmas, Christmas	los padres	parents	perseguir	to chase
necesitar	to need	pagar	to pay	la persona	person
negro	black	la página	page	pertenecer	to belong
nevar	to snow	el país	country, nation	pesado	heavy

Spanish word list

pescar	to fish	el príncipe	prince	respirar	to breathe
el pez	fish	probar	to taste, to try	la respuesta	answer
el piano	piano	probarse	to try, to try on	al revés	upside down, the wrong way round
picar	to itch, to sting	el profesor	teacher (m)	el rey	king
el picnic	picnic	la profesora	teacher (f)	rico	rich
el pico	beak	profundo	deep	el rinoceronte	rhinoceros, rhino
el pie	foot (body), bottom (stairs, hill)	prometer	to promise	el río	river
la piedra	stone (rock)	pronto	soon	riquísimo	delicious
la piel	fur (on clothes), skin	propio	own	el robot	robot
la pierna	leg	próximo	next (following)	robusto	strong (solid)
la pieza	piece	el puente	bridge	la roca	rock (stone)
el piloto	pilot (m)	la puerta	door, gate	el rock	rock (music)
la piloto	pilot (f)	el pulgar	thumb	la rodilla	knee
la pimienta	pepper (spice)	el pulpo	octopus	rojo	red
el pimiento	pepper (vegetable)	pum	bang	el rompecabezas	jigsaw, puzzle
la piña	pineapple	la punta	point, tip	romper	to break
el pingüino	penguin	el punto	point (score)	la ropa	clothes
pintar	to paint			la rosa	rose
la pintura	paint	que	than, which	rosa	pink
la piscina	swimming pool	qué	what (in question)	la rueda	wheel, roundabout
la pizza	pizza	quedar	to meet (by arrangement)	el ruido	noise, sound
la plancha	iron	quedar bien	to fit (clothes)	ruidoso	noisy
planear	to plan	quedarse	to stay		
el planeta	planet	quemar	to burn	sábado	Saturday
plano	flat	querer	to love (people), to want	la sábana	sheet (on bed)
el plano	plan	querer decir	to mean	saber	to know (facts)
la planta	plant	querido	dear (in letters)	sacudir	to shake
el plátano	banana	el queso	cheese	la sal	salt
el platillo	saucer	quieto	still (calm)	la salchicha	sausage
el plato	plate	quince	fifteen	el salchichón	salami
la playa	beach	quinto	fifth	salpicar	to splash
la plaza	seat (place to sit)			saltar	to jump
plegar	to fold	la radio	radio	saludar	to wave (hand)
la pluma	pen	la radiografía	x-ray photo	salvaje	wild
pobre	poor	la rama	branch	salvar	to save (from danger)
poco	few	la ramita	stick (twig)	la sandalia	sandal
poco profundo	shallow	la rana	frog	secar	to dry
podrido	bad (food)	rápido	fast, quick	secarse	to dry yourself
el poema	poem	raro	strange, odd, funny	seco	dry
la policía	police	la rata	rat	el secreto	secret
el pollito	chick	el ratón	mouse	segundo	second
el pollo	chicken	el rayo-x	x-ray	seguro	safe, sure
el pomelo	grapefruit	recoger	to pick (flowers, fruit)	seis	six
poner	to put (down)	recortar	to cut out	el sello	stamp
el póney	pony	el rectángulo	rectangle	la semana	week
por	through, (done) by	recto	straight (line)	el sendero	path
por delante	past	la red	net (for fishing)	sentarse	to sit (down)
por favor	please	la Red	Net (Internet)	sentirse	to feel (emotion)
por todas partes	everywhere	redondo	round	la señal	(road) sign
porque	because	regalar	to give (as gift)	señalar	to point
el potro	foal	el regalo	gift, present	la señora	lady
el precio	price	la regla	ruler	septiembre	September
precipitarse	to rush	la reina	queen	séptimo	seventh
la pregunta	question	reírse	to laugh	ser	to be
preguntar	to ask (question)	el reloj	clock	la serpiente	snake
el premio	prize	el reloj (de pulsera)	watch	sesenta	sixty
presionar	to press	remendar	to mend (clothes)	setenta	seventy
la prima	cousin (f)	la remolacha	beetroot	sexto	sixth
el primo	cousin (m)	remover	to stir	si	if
la primavera	Spring	de repente	suddenly	sí	yes
primero	first	resbalar	to slip	siempre	always
la princesa	princess	rescatar	to rescue	la sierra	saw
principal	main	el resfriado	cold (illness)	siete	seven

significar	to mean	terminar	to finish	el vaso	drinking glass
silencioso	quiet (silent)	el ternero	calf	el váter	toilet
la silla	chair, seat	la tía	aunt	la vecina	neighbour (f)
la silla (de montar)	saddle	el tiburón	shark	el vecino	neighbour (m)
el símbolo	sign (symbol)	el tiempo	time (taken), weather	veinte	twenty
simpático	friendly, nice	la tienda	shop, tent	la vela	candle
el sitio	place, room, space	la Tierra/la tierra	Earth/land, soil	vender	to sell
el sobre	envelope	el tigre	tiger	venir	to come
sobre	over (above), about (story)	las tijeras	scissors	la ventana	window
el sofá	sofa	el tío	uncle	ver	to see
el sol	sun	el tipo	kind, sort, type	el verano	Summer
solamente	only	tirar	to pull, to throw, to knock over	de verdad	real
el soldado	soldier	tirarse al agua	to dive	verdadero	real, true
solo	alone	el títere	puppet	verde	green
sólo	just, only	la tiza	chalk	la verdura	vegetable
la sombra	shadow	la toalla	towel	el vestido	dress
el sombrero	hat	el tobillo	ankle	vestirse	to dress
sonar	to ring	el tobogán	slide	el viaje	journey
sonreír	to smile	tocar	to touch, to feel,	la vida	life
la sopa	soup		to play (music)	el vidrio	glass (material)
soplar	to blow	todavía	still, yet	viejo	old
la sorpresa	surprise	todo	everything	el viento	wind
sostener	to hold	todo el mundo	everybody, everyone	viernes	Friday
su, sus	his, her, its, their, your	el tomate	tomato	la visera	peak (cap)
suave	soft, quiet, smooth	torcer	to turn	visitar	to visit
subir	to climb	la tormenta	storm	la vista	view
el submarinista	diver	trabajar	to work (do a job)	vivir	to live
sucio	dirty	el tractor	tractor	volar	to fly
el suelo	floor, ground	traer	to bring	vosotros, vosotras	you (plural)
el sueño	dream	el traje de baño	swimsuit	la voz	voice
la suma	sum	el trasero	bottom (body)	vuestro, vuestra,	your
el supermercado	supermarket	travieso	naughty	vuestros, vuestras	
		trece	thirteen		
el taburete	stool	treinta	thirty	la Web	(World Wide) Web
la talla	size	el tren	train		
también	too	tres	three	el xilófono	xylophone
el tambor	drum	el triángulo	triangle		
tan	so (so big)	triste	sad	y	and
la tapa	lid	el trofeo	prize (sports)	yo	I
la tarde	afternoon, evening	la trona	highchair	yo mismo	myself
tarde	late (near the end)	el tronco	log		
la tarjeta	card	tropezar	to bump	la zanahoria	carrot
el tarro	jar	el trozo	slice (cake)	la zapatilla	slipper
el taxi	taxi	tú	you	el zapato	shoe
la taza	cup	tu, tus	your	la zarpa	paw
te	you			la zona de recreo	playground (park)
el té	tea (drink)	último	last	el zoo	zoo
el tejado	roof	una	a, one	el zorro	fox
la telaraña	web (spider's)	una vez	once	el zumo	juice
la tele	TV	unir	to join, to attach		
el teléfono	telephone	uno	a, one		
la televisión	television	la uña	fingernail		
la tempestad	(sea) storm	usar	to use		
templado	warm (liquid)	usted	you		
temprano	early	ustedes	you (plural)		
el tenedor	fork	útil	useful		
tener	to have	la uva	grape		
tener hambre	to be hungry				
tener miedo	to be afraid	la vaca	cow		
tener que	to need (to do something)	vacío	empty		
tener sed	to be thirsty	valiente	brave		
tercero	third	la valla	fence		
terminado	over (finished)	los vaqueros	jeans		

Hear the words on the Internet

If you can use the Internet and your computer can play sounds, you can listen to all the Spanish words and phrases in this dictionary, read by a Spanish person.

Go to the Usborne Quicklinks Website at www.usborne-quicklinks.com Type in the keywords **spanish picture dictionary** and follow the simple instructions. Try listening to the words or phrases and then saying them yourself. This will help you learn to speak Spanish easily and well.

What you need

To play the Spanish words, your computer may need a small program called a media player, such as Realplayer® or Windows® Media Player.

These programs are free, and if you don't already have one, you can download a copy from www.usborne-quicklinks.com

Internet safety rules

Always follow the safety rules below when you are using the Internet.

• Ask your parent's or guardian's permission before you connect to the Internet.

• Never give out information about yourself, such as your real name, address, phone number or the name of your school.

• If a site asks you to log in or register by typing your name or email address, ask permission from an adult first.

Notes for parents or guardians

The Picture Dictionary area of the Usborne Quicklinks Website contains no links to external websites. However, other areas of Usborne Quicklinks do contain links to websites that do not belong to Usborne Publishing. The links are regularly reviewed and updated, but Usborne Publishing is not responsible, and does not accept liability, for the content or availability of any website other than its own, or for any exposure to harmful, offensive or inaccurate material which may appear on the Web.

We recommend that children are supervised while on the Internet, that they do not use Internet chat rooms and that you use Internet filtering software to block unsuitable material. Please ensure that your children always follow the safety guidelines above.

For more information, see the "Net Help" area of the Usborne Quicklinks Website at **www.usborne-quicklinks.com**

Spanish language consultant: Pilar Dunster
Additional editing by Claire Masset
Proofreading by María Isabel Sánchez Gallego
Art director: Mary Cartwright
Photography by Howard Allman and MMStudios
Additional design and illustrations by Matt Durber, Mike Olley and Brian Voakes

Additional models by Les Pickstock, Barry Jones, Stef Lumley, Karen Krige and Stefan Barnett

With thanks to Staedtler for providing the Fimo® material for models.
Bruder® toys supplied by Euro Toys and Models Ltd.

This edition first published in 2007 by Usborne Publishing Ltd,
83-85 Saffron Hill, London EC1N 8RT, England. www.usborne.com
Copyright ©2007, 2002 Usborne Publishing Ltd.

Printed in China.

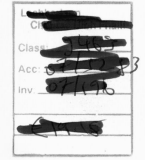